D1295051

Horst Schulz

# Das neue Stricken

## Pullover • Jacken • Westen

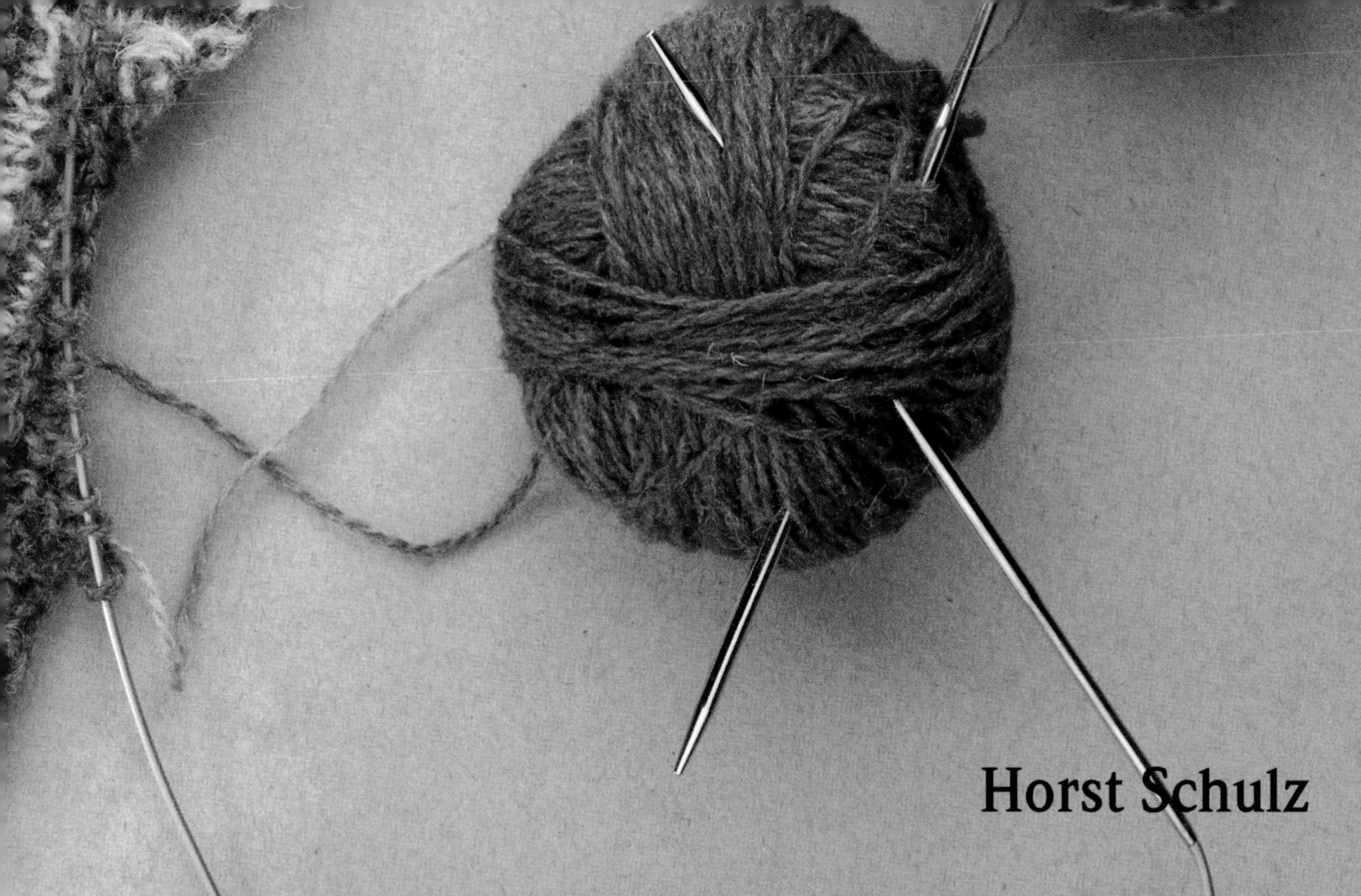

Horst Schulz

# Das neue Stricken
## Pullover • Jacken • Westen

Patchworktechnik
Farbige Muster leicht gestrickt

Augustus Verlag

# Inhalt



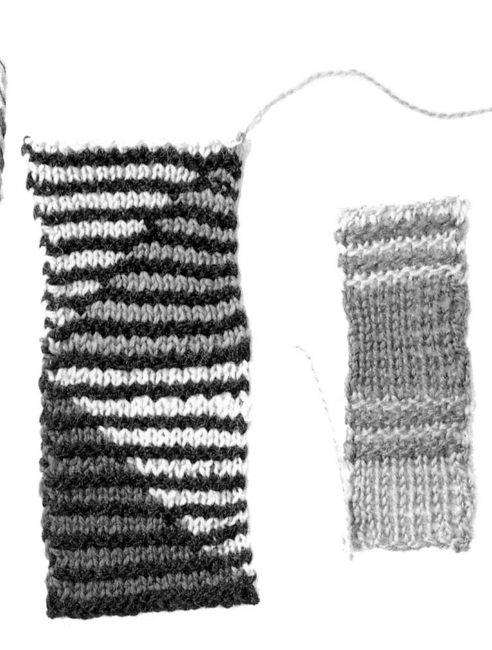



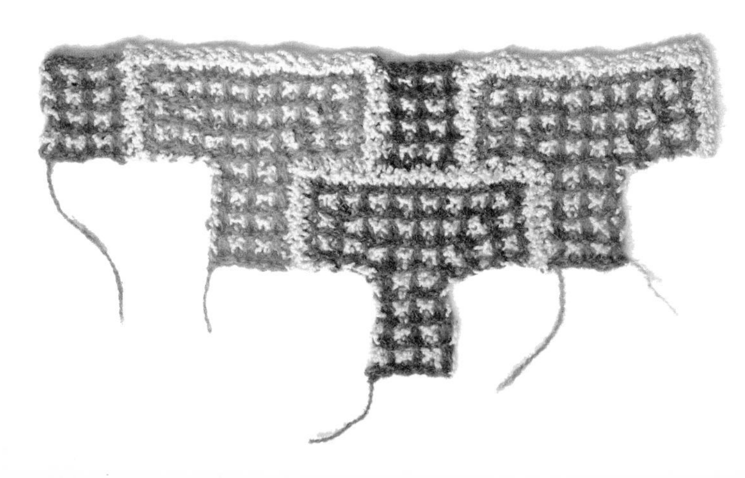

# Einleitung

Neues Stricken heißt im Grunde nichts anderes als neues Denken: Lösen Sie sich von der alten Vorstellung, Stricksachen könnten nur waagrecht angefertigt werden. Vertikal, also senkrecht in die Höhe zu arbeiten, in vielfarbigen, schmalen Streifen oder in einer dem Patchwork ähnlichen Technik, eröffnet unbekannte Wege für Experimentierfreudige.

Die Idee, über das Stricken neu nachzudenken, kam mir erst lange nachdem ich selbst stricken gelernt hatte. Mehr zufällig übernahm ich damals die Beratungsstunden in der Strickabteilung eines Unternehmens. Im Lauf der Jahre hatte ich so mit allen möglichen Strickproblemen zu tun. Die häufigste Schwierigkeit war dabei immer das Stricken mit vielen verschiedenen Farben: Komplizierte Farbwechsel oder heillos verworrene Wollknäule können ja eine wahre Geduldsprobe sein.

Dennoch: Das Problem faszinierte mich. Ausgehend von der Idee der Patchwork-Decken, die aus vielen verschiedenen Teilen zusammengesetzt sind, kam ich auf ein neues Strick-Prinzip. Wenn ich einzelne Teile in unterschiedlichen Farben auch einzeln stricke und zusammensetze, dann erspare ich mir den Wirrwarr der Knäuel – und habe trotzdem ein farbenprächtiges Stück gearbeitet.

Diese Grundidee war seither Ausgangspunkt einer unendlichen Vielfalt von Möglichkeiten. Einige davon möchte ich Ihnen in diesem Buch vorstellen. Neues Stricken heißt aber auch und vor allem, daß Sie Lust auf eigene Kreationen und Kombinationen bekommen.

Das Prinzip hinter der neuen Art zu stricken ist leicht zu verstehen. Und ohne das lästige Entwirren der vielen Knäuel machen bunte Strickarbeiten wieder Spaß.

Ich wünsche Ihnen viel Freude am Entdecken der unzähligen Möglichkeiten

# Das Prinzip des neuen Strickens:

Die Idee hinter dem neuen Stricken ist im Grunde ganz einfach: Anstatt mühsam verschiedene Farben in einer Reihe zu verwenden, werden die Farben in einem Streifen senkrecht aneinander gestrickt. An den ersten Streifen kommt der zweite, in dem sich wiederum die Farben abwechseln. Auf diese Weise geht man immer nur mit einer Farbe zu einer Zeit um. Die Streifentechnik hat außerdem den Vorteil, daß sich auch die Breite der Arbeit mühelos regulieren läßt: Nicht die Zahl der zu Beginn angeschlagenen Maschen entscheidet endgültig über die Paßform, sondern allein die Anzahl der Streifen. Mit Hilfe eines Papierschnittes läßt sich so die gewünschte Größe und Paßform ohne ärgerliches Auftrennen erreichen. Weil die einzelnen Farb-Teile auch einzeln gestrickt sind, ist es zudem leicht und schnell möglich, Farben zu korrigieren. Wenn man sich in der Farbe vertan hat, wird das entsprechende Teil einfach herausgetrennt und neu eingestrickt.

Nicht zuletzt lassen sich fertige Pullover und Jacken auch ohne weiteres der veränderten Figur anpassen: Hat man im Lauf der Zeit ein paar Kilo zugelegt, wird einfach ein weiterer Streifen angestrickt. Nach einer Diät wird einer herausgetrennt.

Ich gehe davon aus, daß Sie bereits Erfahrung im Stricken haben, wissen, wie Anschlag, rechte und linke Maschen gearbeitet werden. Auf diesen einfachen Grundlagen baut die Technik des „neuen Strickens“ auf.

# Das A und O: die Randmaschen

Korrekte Randmaschen auf beiden Seiten der Streifen sind unerläßlich. Nur so ergeben sich saubere Übergänge zwischen den einzelnen Streifen und Stücken. Für die Randmasche wird deshalb immer die erste Masche einer Reihe rechts abgehoben (dabei den Faden hinter die Nadel legen) und die letzte Masche der Reihe dann links gestrickt. So ergibt sich seitlich des Streifens jeweils eine Reihe V-förmiger Maschen, die über zwei Reihen reichen (d.h. 2 Reihen/1 Randmasche).

Beim Wechsel der Farben sieht es ein wenig anders aus: Hier muß die erste Masche ausnahmsweise gestrickt werden, um zu verhindern, daß sich die Arbeit verzieht. Seitlich sind dann eine normale und eine kleinere Randmasche zu sehen. Beim Zusammenstricken wird dann aber nur eine der beiden Maschen verwendet.

**Mein Tip:**

*Wenn Randmaschen sehr lose ausfallen, kann man einfach den Faden ein wenig nachziehen, wenn man die zweite Masche gestrickt hat!*

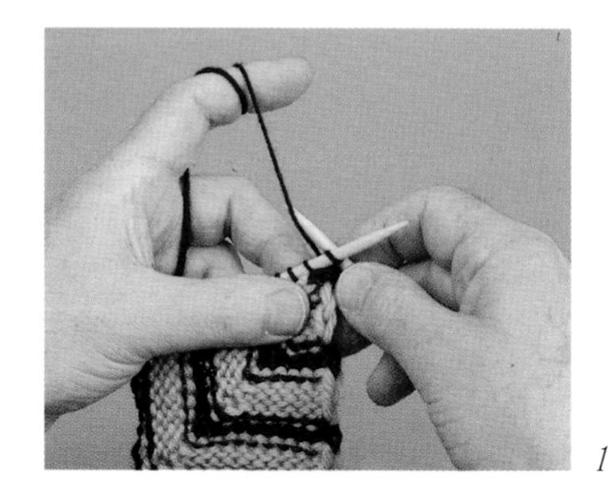

1

2

# Neue Maschen anschlagen

Ganz am Anfang einer Arbeit können Sie die Maschen auch auf herkömmliche Weise mit zwei Fadenenden anschlagen. Im weiteren Verlauf des „neuen Strickens" ist es aber sinnvoll, die französische Anschlagtechnik zu verwenden: Zwischendurch steht oft nur ein Faden zur Verfügung, mit dem Maschen angeschlagen werden müssen.

Mit dieser Technik können Sie bereits beim Aufnehmen der Maschen stricken. Wie unsere Abbildungen zeigen, wird dazu aus der ersten Masche eine neue herausgestrickt. Diese neue Masche setzen Sie einfach auf die linke Nadel und stricken aus ihr die folgende Masche heraus. Diese Technik ist besonders praktisch, wenn für einen neuen Topflappen weitere Maschen gebraucht werden. Der Anschlag gilt dabei als erste Reihe.

3

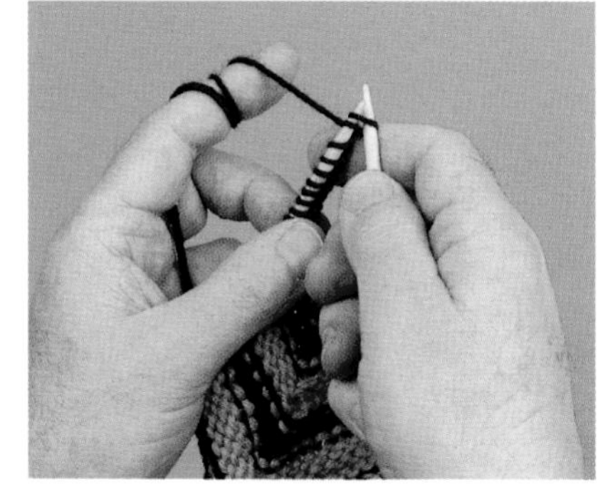

4

*1 Stricken Sie aus der ersten Masche einer Reihe eine neue Masche heraus.*
*2 Heben die neue Masche auf die linke Nadel.*
*3 Aus der neuen Masche stricken Sie nun die nächste Masche heraus.*
*4 Auf diese Weise können Sie beliebig viele Maschen neu anschlagen.*

# Streifen zusammenstricken

Es gibt zwei Möglichkeiten, die Streifen während der Arbeit zusammenzustricken. Je nach Möglichkeit zeigen sich entweder auf der vorderen oder der rückwärtigen Seite zwei nebeneinanderliegende Maschenreihen.

Beim rechts Zusammenstricken (siehe Zeichnung 1) wird der Faden direkt hinter die Randmasche von Teil B gelegt. Die Randmasche dann rechts abheben. Aus beiden Fäden der Randmasche von Teil A eine Masche herausstricken und die abgehobene Masche über die herausgestrickte ziehen. Auf der Rückseite wird dann der Faden vor die Arbeit gelegt und die erste Masche links abgehoben. Zwei aufliegende Maschenreihen befinden sich so auf der Vorderseite.

Beim links Zusammenstricken (siehe Zeichnung 2) wird der Faden entsprechend vor die linke Randmasche von Teil B gelegt und die Randmasche links abgehoben. Mit der rechten Nadel dann von hinten durch beide Fäden der rechten Randmasche von Teil A stechen, beides auf die linke Nadel übertragen und links zusammenstricken. Auf der Rückseite wird nun der Faden hinter die Arbeit gelegt und die erste Masche rechts abgehoben. Die aufliegenden zwei Maschenreihen zeigen sich so auf der Rückseite.

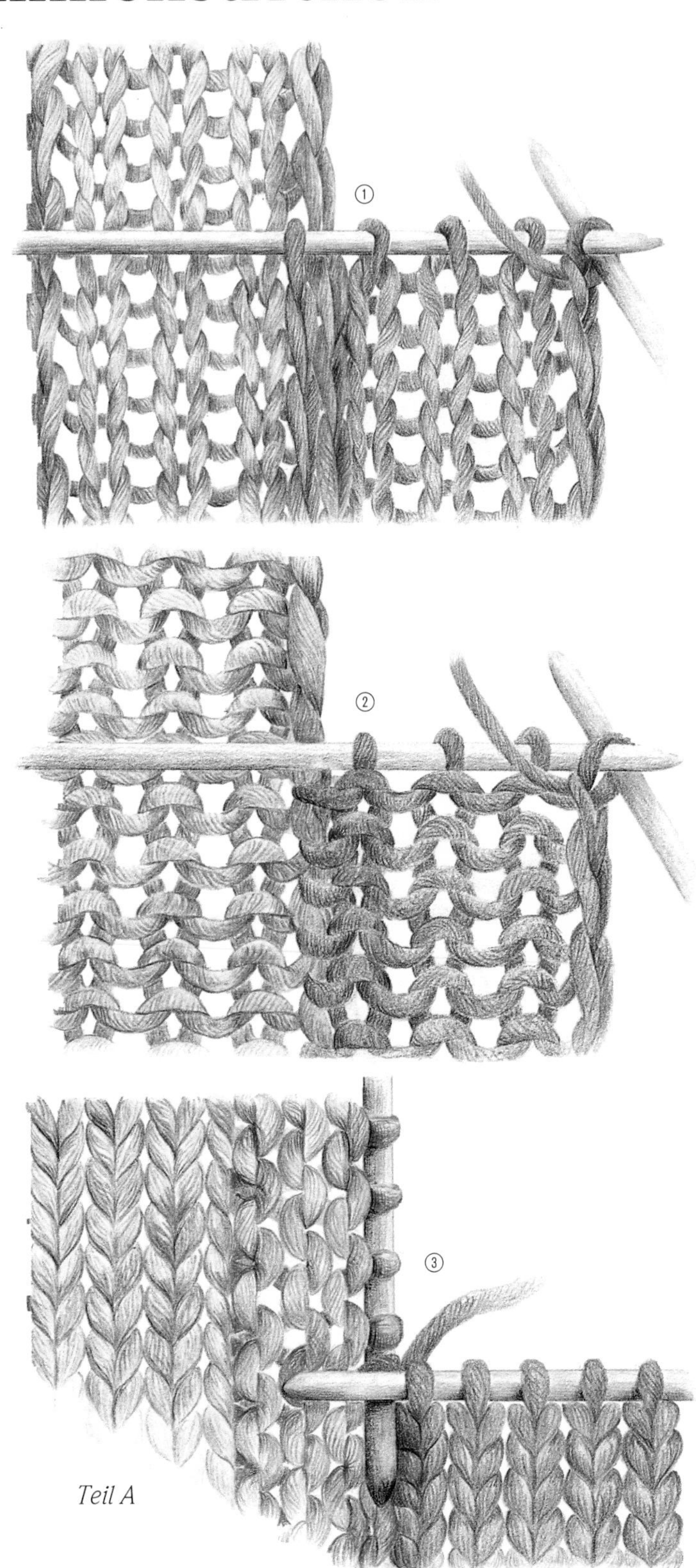


**Mein Tip:**

*Gerade bei dunklen Farben gibt es manchmal Probleme, die Randmaschen gut zu erkennen. Ein heller Hintergrund, ein Tischtuch oder auch ein Blatt Papier kann hier sehr nützlich sein.*

Bei vielen Mustern empfiehlt es sich, die Streifen mit einer Rundnadel zusammenzustricken (siehe Zeichnung 3). Dabei werden zuerst aus allen rechten Randmaschen des fertigen Streifens (Teil A) neue Maschen auf die Rundnadel herausgestrickt. Nun brauchen Sie nicht lange nach den Randmaschen zu suchen, sondern haben sie bereits auf der Nadel liegen. Aus diesen Maschen können nun selbstverständlich auch einige Reihen quergestrickt werden. Anschließend wird Teil B mit der rechten Nadel der Rundnadel angeschlagen und der Faden vor die Arbeit gelegt. Nun wieder, wie vorhin, die linke Randmasche von Teil B mit der Masche auf der Rundnadel links zusammenstricken. Auf der Rückreihe dann den Faden hinter die Arbeit legen und die erste Masche rechts abheben.

*So werden Fadenenden beim Stricken rechter Maschen eingewebt. Der Arbeitsfaden ist dunkelrot. Eingewebt wird der rosafarbene Faden.*

# Fadenenden einweben

Mit dieser Methode sparen Sie sich das spätere Vernähen. Ein bis drei Fadenenden (7 – 10 cm) können so auf der Rückseite eingewebt werden. Allerdings ist dies nur möglich, wenn auf der Vorderseite rechte Maschen und auf der Rückseite linke Maschen gestrickt werden. Halten Sie dafür die Fadenenden mit Daumen und Mittelfinger der linken Hand. Stechen Sie nun auf der Vorderseite in die Masche, legen Sie den Faden über die Nadel und stricken Sie die Masche mit dem Arbeitsfaden ab. Bei der nächsten Masche bleiben die Fadenenden dann unter der Nadel. Mit dieser Methode – einmal drüber, einmal drunter – lassen sich auch Fäden in der zweiten Masche nach der rechten Randmasche seitlich mitführen.

Die Fotos auf dieser Seite zeigen, wie der Faden in links- bzw. rechtsgestrickten Reihen eingewebt wird. In Perlmuster ist das Einweben auf beiden Seiten möglich.

*Auch in linksgestrickten Reihen können Fadenenden eingewebt werden, wie diese Bilder zeigen. Wieder ist der Arbeitsfaden dunkelrot, der einzuwebende Faden rosa.*

# Das Material

*Die Farben einer besonders apart gemusterten Badezimmertapete lieferten hier die Idee für die Kombination der Garne.*

Nicht nur das Stricken funktioniert anders, auch beim Einkauf ist Umdenken gefragt. Aus der Vielfalt der angebotenen Farben und Materialien können Sie nun nach Herzenslust auswählen. Die Zeiten, in denen nur Garn der gleichen Farbpartie und Farbnummer in Frage kamen, sind vorbei: Denn beim Stricken in vielen Farben braucht man auch viele Nuancen.

Als Inspiration und Entscheidungshilfe kann man sich beispielsweise von Bildern, Ansichtskarten und Fotos, Stoffen oder Tapeten leiten lassen.

Auch unterschiedliche Garnstärken ergeben beim „neuen Stricken" aparte Effekte. Weil in manchen Arbeiten nur eine oder zwei Doppelreihen mit einem Material gearbeitet werden, kann man durchaus glänzende und matte Garne verbinden. Sehr gut eignen sich auch Naturgarne, die aber nicht zu dick sein

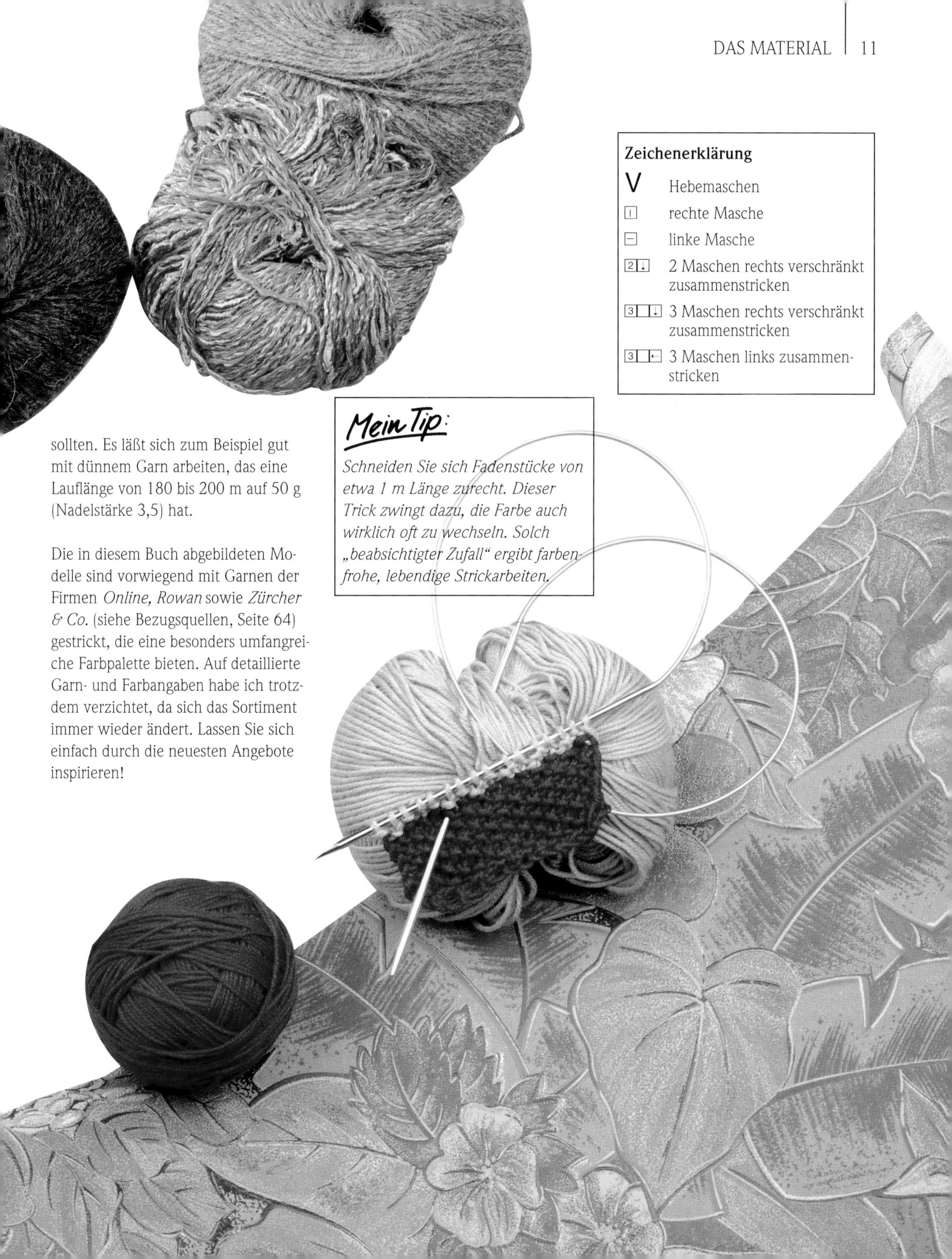

**Zeichenerklärung**

|  |  |
|---|---|
| V | Hebemaschen |
| [I] | rechte Masche |
| [–] | linke Masche |
| [2][↓] | 2 Maschen rechts verschränkt zusammenstricken |
| [3][ ][↓] | 3 Maschen rechts verschränkt zusammenstricken |
| [3][ ][←] | 3 Maschen links zusammenstricken |

sollten. Es läßt sich zum Beispiel gut mit dünnem Garn arbeiten, das eine Lauflänge von 180 bis 200 m auf 50 g (Nadelstärke 3,5) hat.

Die in diesem Buch abgebildeten Modelle sind vorwiegend mit Garnen der Firmen *Online, Rowan* sowie *Zürcher & Co.* (siehe Bezugsquellen, Seite 64) gestrickt, die eine besonders umfangreiche Farbpalette bieten. Auf detaillierte Garn- und Farbangaben habe ich trotzdem verzichtet, da sich das Sortiment immer wieder ändert. Lassen Sie sich einfach durch die neuesten Angebote inspirieren!

**Mein Tip:**

*Schneiden Sie sich Fadenstücke von etwa 1 m Länge zurecht. Dieser Trick zwingt dazu, die Farbe auch wirklich oft zu wechseln. Solch „beabsichtigter Zufall“ ergibt farbenfrohe, lebendige Strickarbeiten.*

# Der Papierschnitt

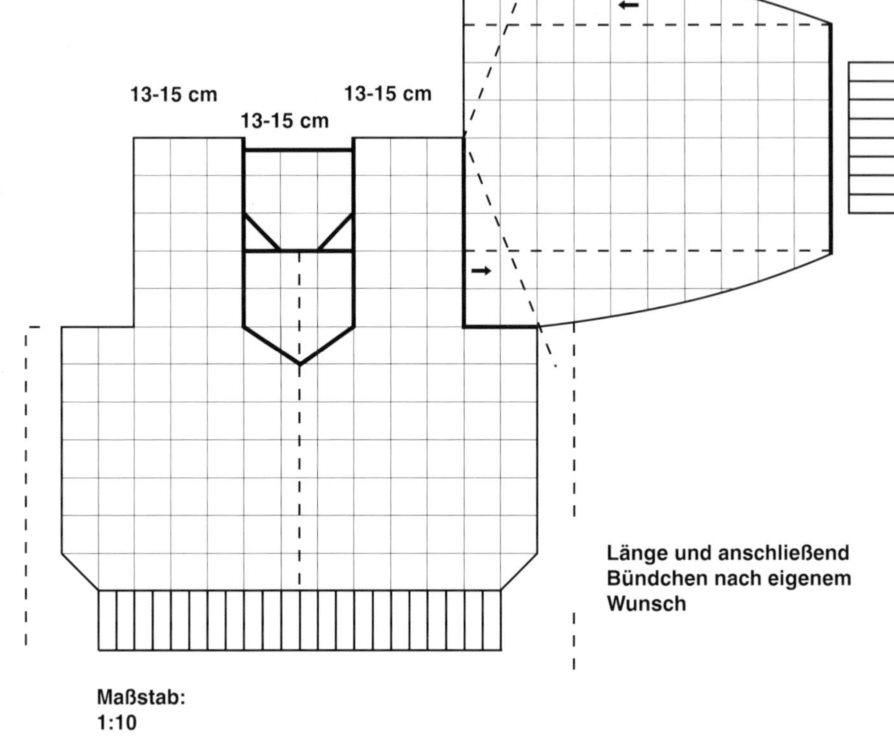


Bevor Sie nun zu den Stricknadeln greifen, brauchen Sie einen Papierschnitt des gewünschten Modells. Da sich fast alle hier gezeigten Arbeiten am Rechteck oder Quadrat orientieren, ist auch dieser Papierschnitt entsprechend angelegt. Anhand eines eigenen Pullovers oder einer Jacke läßt er sich leicht auf die individuelle Größe abändern.

Mit diesem Papierschnitt in Originalgröße überprüfen Sie zum Beispiel den Stand Ihrer Arbeit: Die vorher gespannte Strickarbeit wird einfach aufgelegt.

**Mein Tip:**

*Spannen Sie auch Teile der Arbeit sorgfältig. Nur so können Sie die genaue Größe ermitteln und erkennen die ganze Schönheit der Strickerei.*

So sehen Sie leicht, wieviele Streifen oder Teile Ihnen noch zum fertigen Stück fehlen.
Für die schrägen Teile der Ärmel kann man so entweder die Schrägen an das fertige Rechteck anstricken, oder sie gleich während der Arbeit anhand des Schnittes ergänzen. Die geraden Schulterteile dürfen ruhig etwas abgeschrägt zusammengenäht werden: Unter die Naht kommt später ja meist ein kleines Schulterpolster.

# Ganz zum Schluß: die Bündchen

Beim „alten Stricken" begann man jedes Teil mit dem Bündchen. Beim „neuen Stricken" stehen die Bündchen ganz am Ende der Arbeit. Und damit keine „Schlaffchen" daraus werden, ist es ratsam, sie doppelt zu arbeiten.

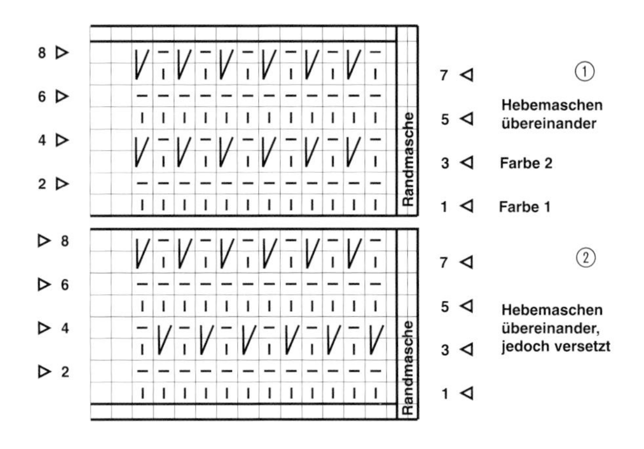


Fangen Sie am besten mit einem Ärmel an: So erkennen Sie gleich, wieviele Maschen wieviele Zentimeter ergeben. Ich verwende im allgemeinen Garne mit einer Lauflänge von etwa 100 m

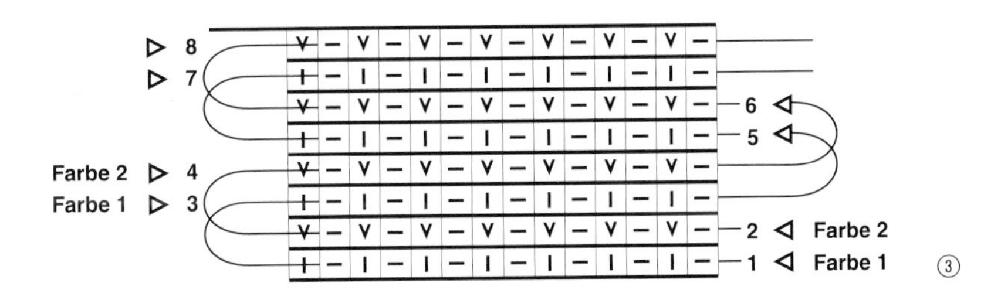


pro 50-Gramm-Knäuel. Als Faustregel gelten in diesem Fall für Ärmel etwa 40 bis 44 Maschen, für Vorder- und Rückenteil jeweils etwa 80 Maschen. Für ein Bündchen werden zuerst alle Maschen auf der Innenenseite des Strickteils auf eine Rundnadel gestrickt. In der zweiten Reihe auf die nötige Maschenzahl reduzieren oder Maschen zunehmen (aus dem Zwischenfaden verschränkt herausstricken). Arbeiten Sie bis zur gewünschten Höhe glatt rechts, anschließend eine Reihe links für den Bruch, dann im gewählten Muster weiter. Ketten Sie die Maschen sehr lose ab (je Masche etwa 1 cm), so daß sich eine linke Reihe auf der Vorderseite zeigt. Das Bündchen nun einfach umklappen und die Maschen einzeln lose auf der Rückseite annähen. Die abgekettete Maschenreihe und die Naht sollten soviel nachgeben, wie es das gestrickte Teil auch tut.

Hebemaschen geben den Bündchen einen besonders festen Halt. Dazu stricken Sie bis zum Bruch, wie oben beschrieben. Dann nach Strickschrift weiterarbeiten. Es empfiehlt sich, die Nadeln eine halbe Nummer größer zu wählen, weil nun oft nur jede zweite Masche gestrickt wird (Abb. 1 und 2). Schön sieht es auch aus, wenn Sie für Farbe 2 ein etwas stärkeres Garn verwenden. Das Bündchen kann auch insgesamt mehrfarbig angelegt sein: Stricken Sie dann die Innenseite nicht glatt rechts, sondern fangen Sie gleich mit dem Muster an, beispielweise zwei links, zwei rechts (Maschenzahl beachten). Wenn Sie die Reihe in der ersten Farbe fertiggestrickt haben, wenden Sie nicht. Beginnen Sie wieder vorne mit dem zweiten Garn (Abb. 3).

Das Material für die erste Farbe kann dabei auch etwas dicker sein. Um einen schönen Abschluß zu erhalten, muß die Maschenzahl des Bündchens durch vier teilbar sein und zwei zusätzliche Maschen erhalten. Der Anschluß fügt sich gut, wenn Sie mit zwei Maschen links beginnen und die Reihe auch so beenden.

Das lange Jackenbündchen strickt sich leichter, wenn Sie in drei Teilen arbeiten: die vorderen Kanten und den Halsausschnitt. Ob die richtige Maschenzahl zugenommen wurde und die Abmessung stimmt, läßt sich dann ganz einfach überprüfen und notfalls korrigieren. Zum Schluß nähen Sie die drei einzelnen Teile sauber zusammen.

# Galerie der Modelle

# Streifen-Jacke für Herren

**Für diese attraktive Jacke folgen Sie einfach dem Grundmuster des neuen Strickens: Streifen, Streifen und wieder Streifen.**

Fertigen Sie zunächst einen Papierschnitt in Originalgröße aus festem Packpapier. Messen Sie dafür am besten eine vorhandene Jacke nach, die Ihnen bequem paßt.

Für den ersten Streifen schlagen Sie 9 Maschen an. Stricken Sie die ersten beiden Reihen glatt rechts. Mit einer neuen Farbe wird dann die 3. Reihe noch glatt rechts, die vierte aber kraus (Vorderansicht: linke Maschen) gestrickt. Stricken Sie insgesamt vier Doppelreihen kraus und wechseln Sie dabei jeweils die Farbe. Anschließend kommen 12 Reihen glatt in einer Farbe. Danach wiederholt sich das Muster. Überprüfen Sie die Länge des Streifens anhand des Papierschnittes. Mit dem Anlegen wird von der linken Seite des Schnittes her begonnen.

Wenn der Streifen fertig abgekettet ist, stricken Sie mit einer Rundnadel die Randmaschen aus der rechten Seite heraus. Diese Maschen werden mit dem zweiten Streifen zusammengestrickt.

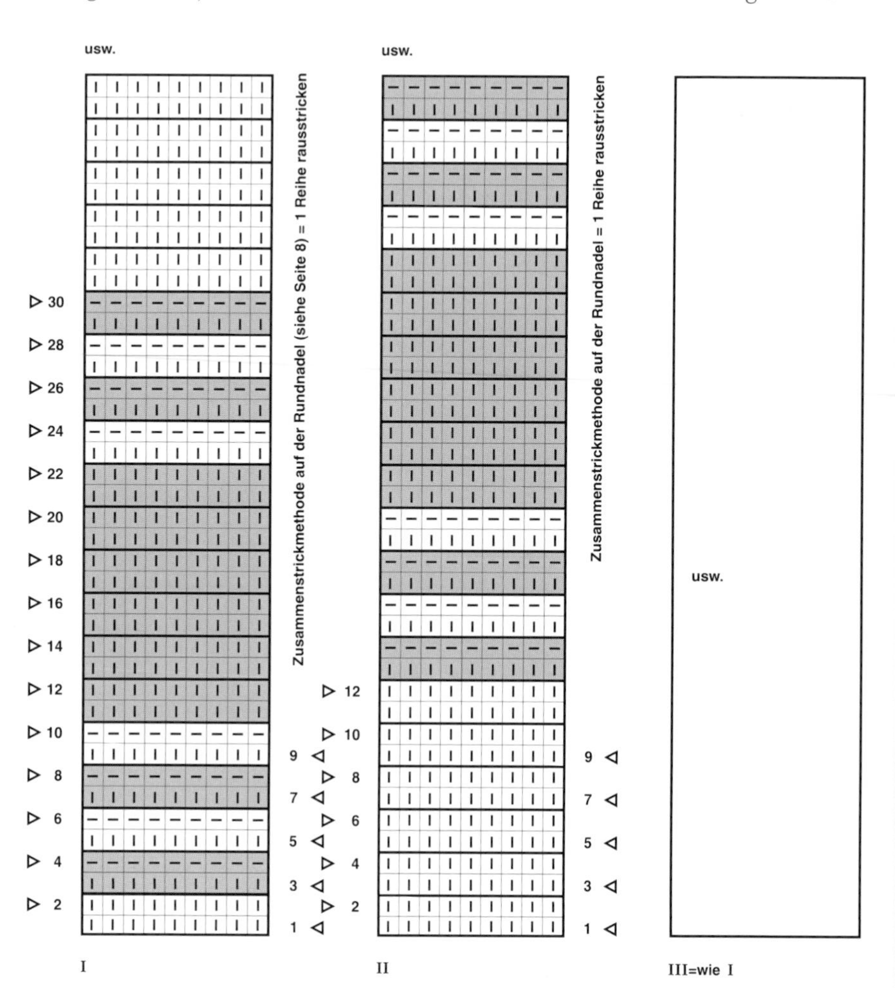

Das Muster im zweiten Streifen beginnt mit 12 Reihen glatt rechts.
Um die Jacke fertigzustellen, stricken Sie die Bündchen wie beschrieben. Vergessen Sie dabei nicht die Knopflöcher an der vorderen Kante!

Besonders vielseitig verwendbar wird die Jacke, wenn Sie die Ärmel nicht annähen, sondern mit einem Reißverschluß am Vorder- und Rückenteil befestigen (siehe Foto). So kann die Jacke auch als ärmellose Weste getragen werden. Der Reißverschluß versteckt sich unter einer kraus rechts ans Armloch gestrickten Blende.

*So sieht der Beginn eines Streifens für die Herrenjacke aus. Das eigentliche Muster entsteht durch die aneinandergestrickten Streifen.*

# Zopfmuster für Damen

**Streifenweise gestrickt ist dieses Muster bestimmt kein alter Zopf. Die leuchtenden Farbtöne in den Verbindungsreihen setzen zudem pfiffige Akzente.**

Den Pullover mit Zopfmuster in auffallenden Rottönen kennen Sie schon von Seite 14/15. Arbeiten Sie dieses Modell wie die Herren-Jacke in Streifen. Für den ersten Zopf-Streifen werden zwischen 12 und 18 Maschen angeschlagen. Am Rand werden jeweils drei Maschen links gestrickt. Die glatten rechten Maschen in der Mitte dann nach eigener Wahl verzopfen. Seien Sie dabei ruhig mutig in der Wahl der Farben und Zopfarten: Unterschiedlich verzopfte Streifen machen den Pullover zum attraktiven Blickfang. Vor dem Anstricken des jeweils nächsten Streifens wurden hier mit der Rundnadel noch zwei Doppelreihen in Effektgarn eingefügt. Stricken Sie die Streifen anschließend wie gewohnt zusammen.

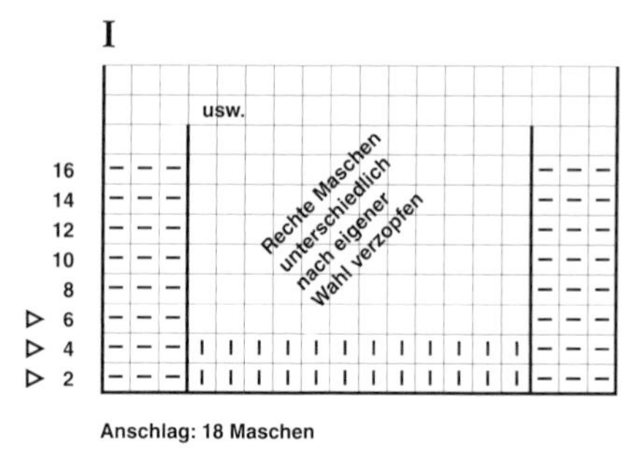


Anschlag: 18 Maschen

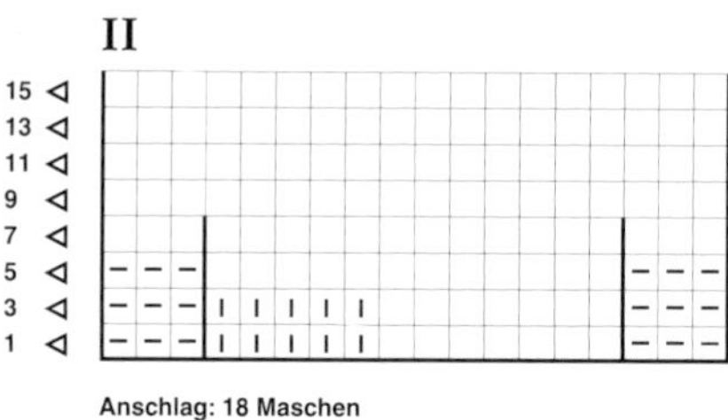


Anschlag: 18 Maschen

# Sanfte Töne in Dochtwolle

Diese schicke Jacke aus Beige und Pastellfarben wird wie die Herrenjacke auf Seite 16/17 gearbeitet. Durch die breiteren Streifen wirken die sanften Töne hier schön flächig. Farblich abgesetzte Verbindungsreihen schaffen außerdem attraktive Kontraste.

# Variation in Rhomben

**Reizvolle Muster ergeben sich mit diesen Streifen aus langen Rhomben. Durch die dunkleren Reihen in krausen Maschen erhält die Strickarbeit zusätzlich eine markante Struktur.**

Das Rhombenmuster aus rechteckigen Streifen entsteht durch geschickten Farbwechsel: Beginnen Sie mit der dunkleren Kontrastfarbe (17 Maschen). Diese Farbe zieht sich dann durch den ganzen Streifen. Nach einer kraus gestrickten Doppelreihe stricken Sie in

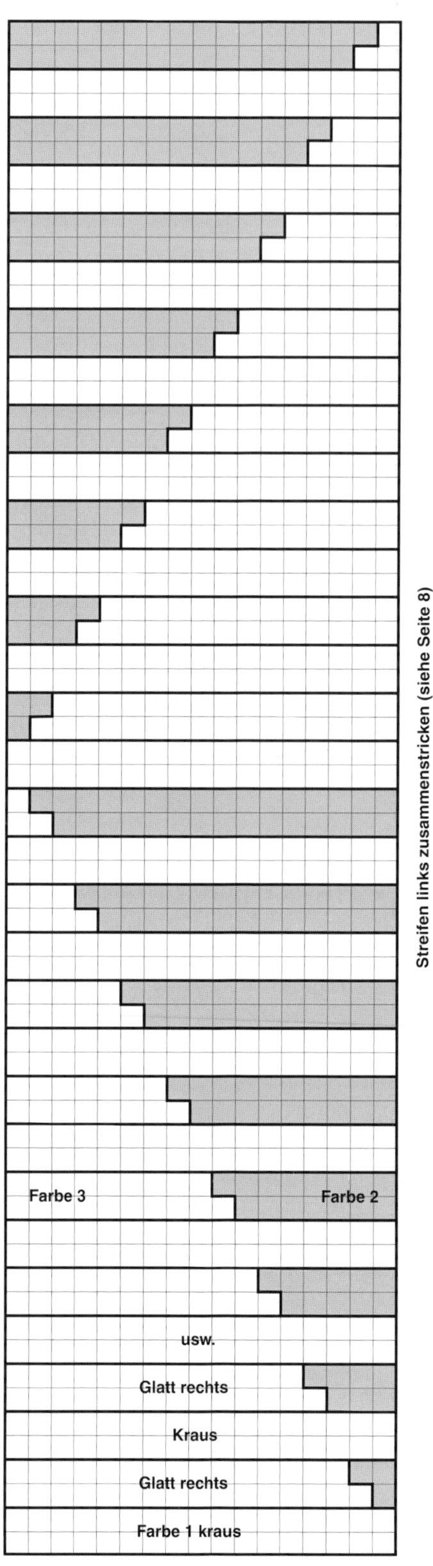


17 Maschen

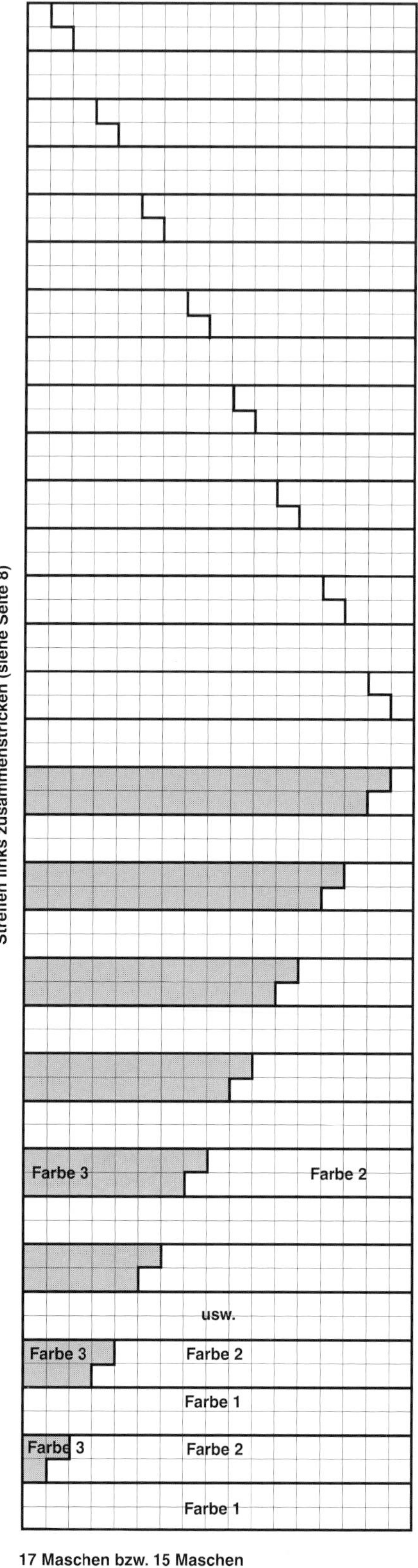


17 Maschen bzw. 15 Maschen

glatten Maschen die beiden anderen Farben ein. Am Farbwechsel werden hier die Fäden verkreuzt.

Ratsam ist es dabei, die beiden helleren Farben für die Rhomben vorher passend zuzuschneiden. So vermeiden Sie unnötiges Fadengewirr. Da alle Farbfelder gleich groß sind, können Sie die passende Länge anhand des ersten Feldes nachmessen. Beim seitlichen Wechsel der Fäden sollten Sie darauf achten, daß die nächste Farbe immer hinter der ersten hochgeführt wird, da sonst die Übergänge beim Zusammenstricken unschön ausfallen können.

Die rechteckigen Rhomben-Streifen zum fertigen Pullover zusammenstricken, wie auf Seite 8 beschrieben.

# Markante Rauten

**Streifen müssen ja nicht rechteckig sein: Spitze an Spitze gestrickte Rhomben ergeben später die Struktur der Arbeit.**

Bei den langen Streifen dieser Rhomben oder Rauten sparen Sie sich den Farbwechsel innerhalb der Reihe. Das Muster ist gleich dem der rechteckigen Rhomben: durchgehend dunkle Reihen in krauser Strickweise abwechselnd mit farbigen, glatt gestrickten Doppelreihen.

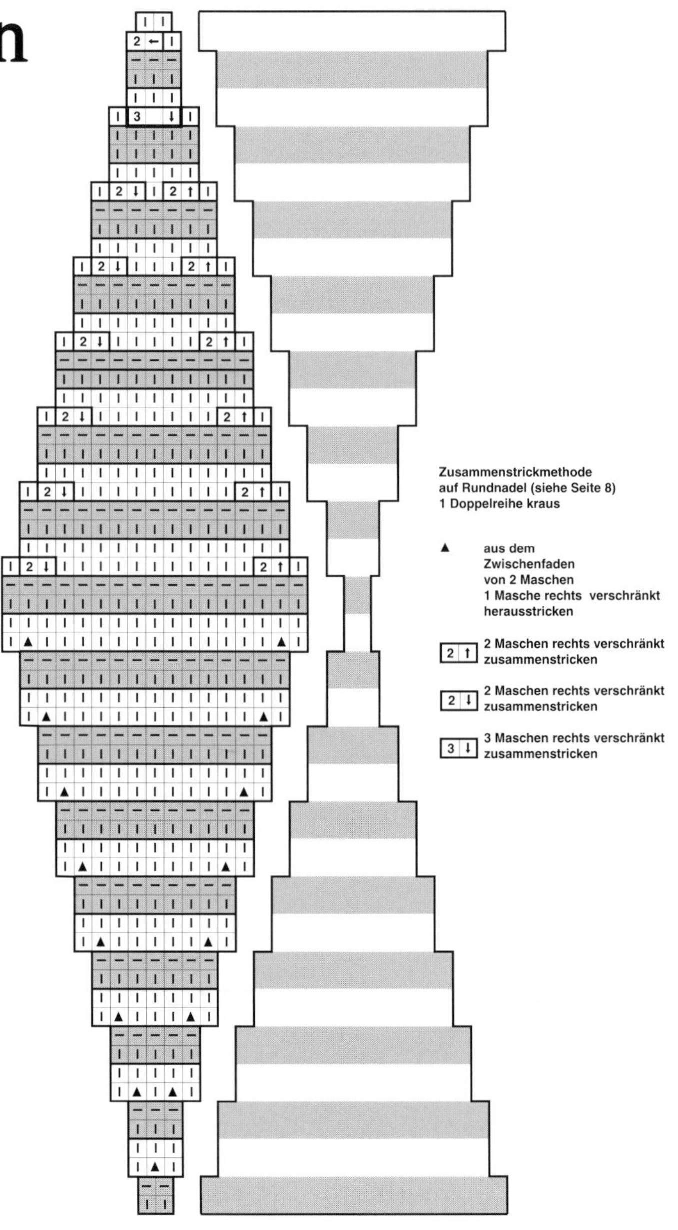

Für dieses Muster nehmen Sie einfach in den Rändern der helleren Reihen Maschen zu: Stricken Sie, wie in der Zeichnung verdeutlicht, aus dem Faden zwischen zwei Maschen rechts verschränkt eine weitere Masche heraus. Wenn das Stück auf 17 Maschen angewachsen ist, beginnen Sie nach der dunklen Reihe wieder mit der Abnahme: Am Rand werden dann jeweils zwei Maschen rechts bzw. verschränkt zusammengestrickt. In der vorletzten Abnahme-Reihe der Raute werden dann drei Maschen zusammengestrickt.

Die zweite Rhomben-Reihe beginnt mit der breiten Mitte: Nehmen Sie also nach der kraus gestrickten dunklen Reihe kontinuierlich Maschen ab. Die Rhomben-Streifen werden dann ganz einfach wieder mit der Rundnadel zusammengestrickt.

# Nun geht's rund

**Ein bißchen ähneln die Streifen dieses Pullovers einer Sanduhr: Das Muster mit seinen farblichen Kontrasten wirkt weich und fließend.**

Ähnlich wie bei den Rhomben-Streifen von Seite 20 werden auch bei diesem Modell durch dunklere Streifen schicke Akzente gesetzt. Die Kreise dieser Arbeit sind durch rechteckige Zwischenstücke verbunden, damit sie anschließend gut aneinanderpassen.

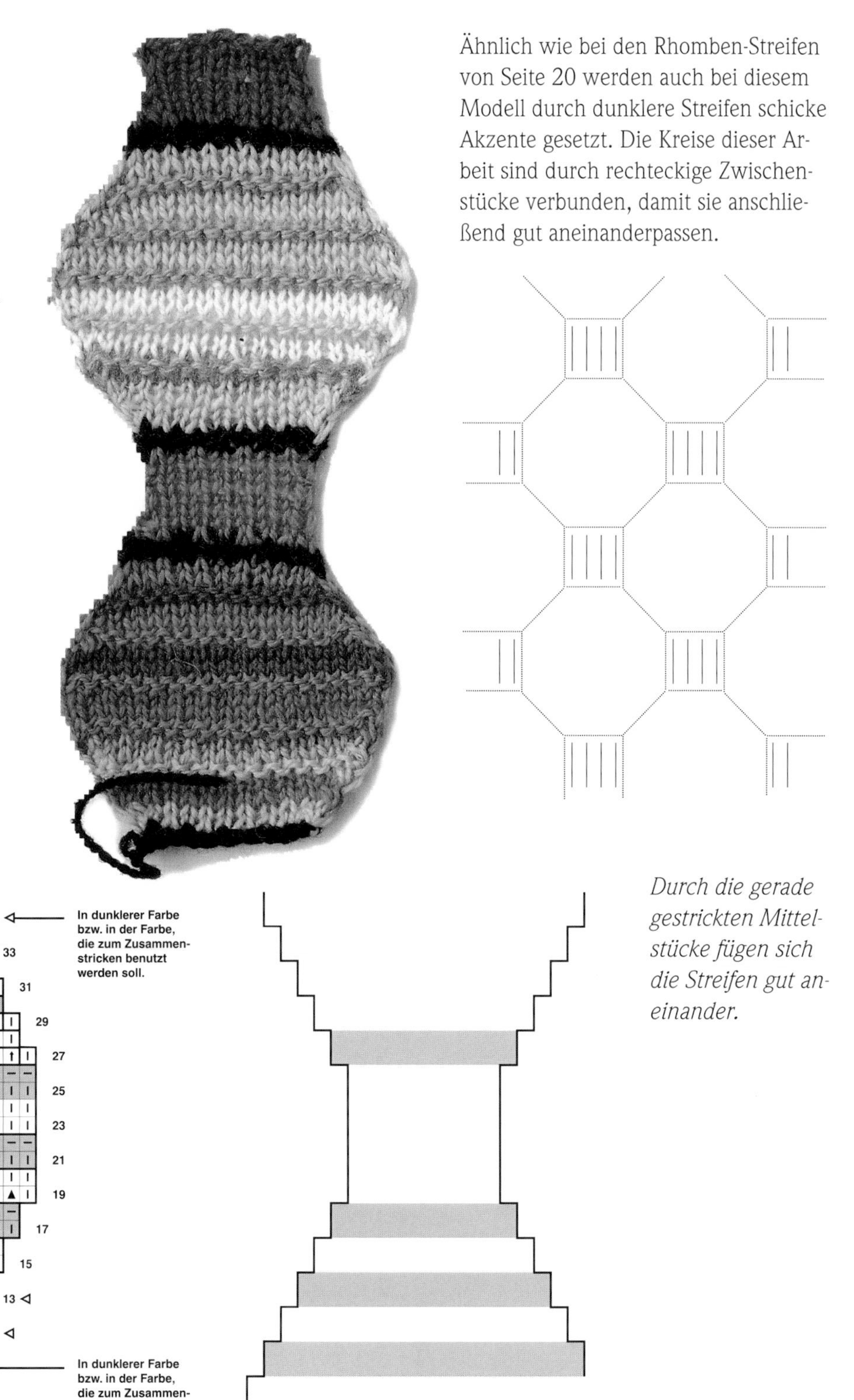


*Durch die gerade gestrickten Mittelstücke fügen sich die Streifen gut aneinander.*

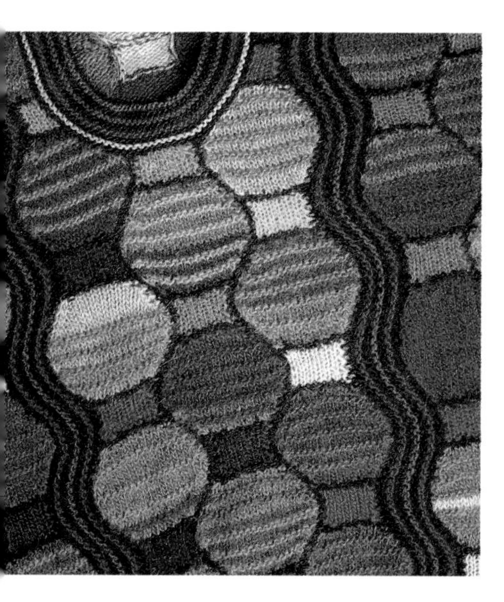

Beim ersten Streifen arbeiten Sie hier zunächst das glatt rechts gestrickte Viereck. Danach folgt die Zunahme in jeder Reihe für den Kreis. Wenn Sie auf 21 Maschen zugenommen haben, stricken Sie erst vier Doppelreihen in den entsprechenden Farben, bevor Sie wieder mit der Abnahme beginnen.

Der zweite Streifen wird entsprechend mit der breiten Stelle des Kreises begonnen, um die Teile aneinanderfügen zu können. Als Verbindung zwischen den Kreis-Streifen stricken Sie nach der Methode auf der Rundnadel eine Doppelreihe kraus zwischen die Teile.

## Die Topflappen-Methode

Der Topflappen stand bei dieser Idee Pate: Außer in Streifen kann man auch in noch kleineren Teilen arbeiten und die einzelnen Stücke dann wie beim Patchwork aneinanderstricken. Das Quadrat mit der Abnahme in Diagonalrichtung ergibt überraschende Muster – und läßt zudem viel Spielraum für eigene Kreativität.

Auch hier wird zunächst ein Quadrat einzeln fertiggestellt. Das nächste strickt man dann aus einer Kante des vorherigen heraus: Also die Hälfte der Maschen aus der vorhandenen Kante stricken, die andere Hälfte neu anschlagen. Auf diese Weise lassen sich wieder Streifen bilden. Sie können die Quadrate aber auch auf die Spitze stellen: Dann wird anstatt in den gewohnten Streifen in einer Art Patchwork-Technik angefügt.

Die Abnahmen für jedes einzelne Quadrat erfolgt übrigens nur in der Rückreihe!

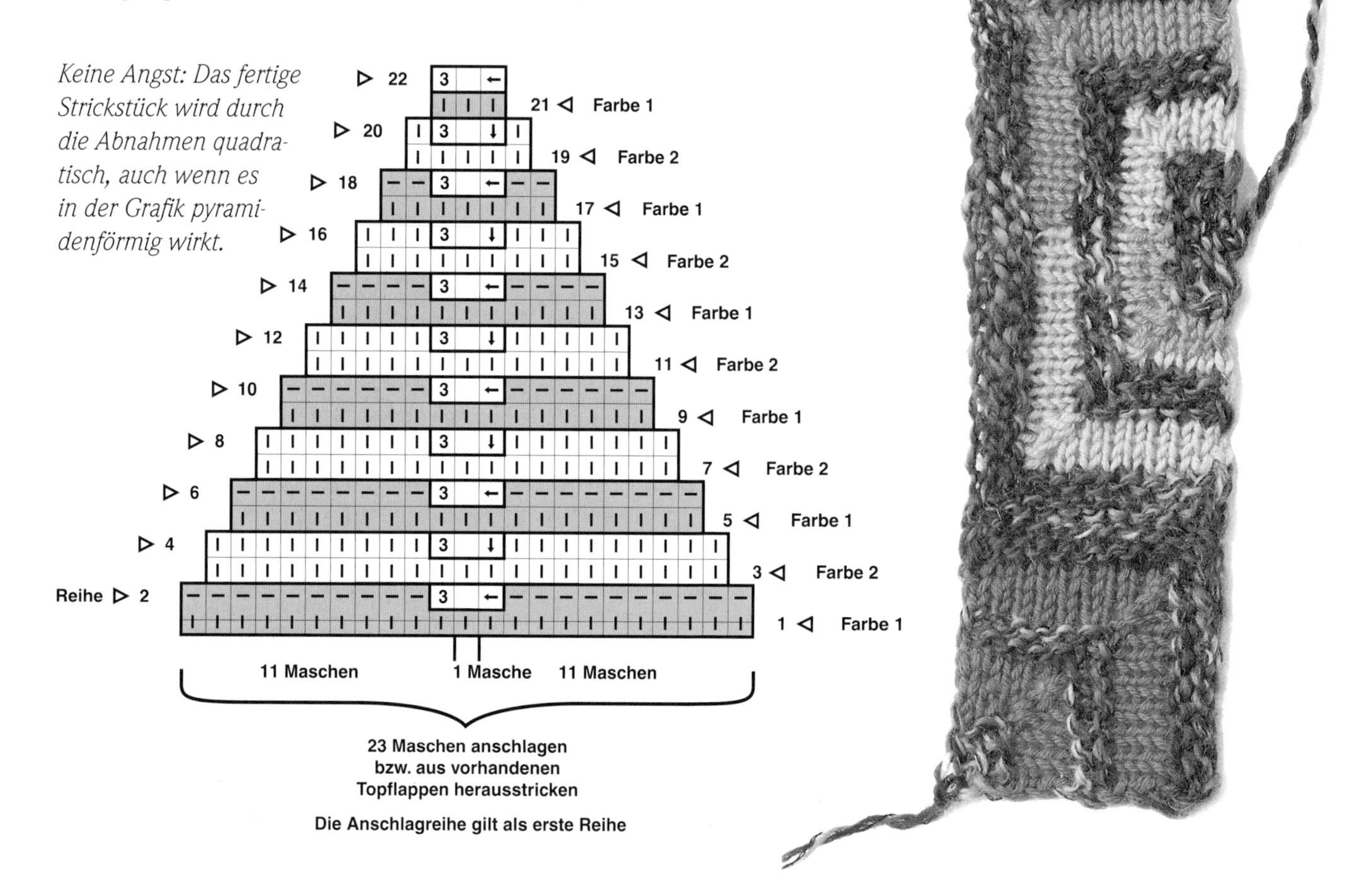


*Keine Angst: Das fertige Strickstück wird durch die Abnahmen quadratisch, auch wenn es in der Grafik pyramidenförmig wirkt.*

*Jedes einzelne Quadrat ist ein kleiner „Topflappen". Aus mehreren solchen Elementen lassen sich Streifen oder Winkel zusammensetzen.*

# Diese Topflappen sind Spitze!

**Rote und blaue Nuancen geben dieser sportlichen Jacke Pfiff. Die Quadrate stehen für dieses Modell auf der Spitze und enden jeweils in einem kleinen Quadrat in Blautönen.**

Schlagen Sie für das erste Quadrat insgesamt 27 Maschen an: 13 je Seite und eine Masche zusätzlich. In der Rückreihe werden dann jeweils in der Mitte drei Maschen zusammengestrickt. Bei den roten und blauen Teilen im Perlmuster sollten die Maschen rechts verschränkt bzw. links zusammengestrickt werden, so wie es sich gerade ergibt. Stricken Sie auf diese Art soviele Rauten, wie Sie für die Breite des Pullovers benötigen. Die Maschen für die Rauten der zweiten Reihe werden dann aus den Kanten der fertigen Teile herausgestrickt. Denken Sie daran, eine zusätzliche Mittelmasche zu arbeiten: Also 13 Maschen herausstricken, die Mittelmasche arbeiten und weitere 13 Maschen herausstricken. Mit diesen 27 Maschen stricken Sie dann das nächste Topflappenquadrat.

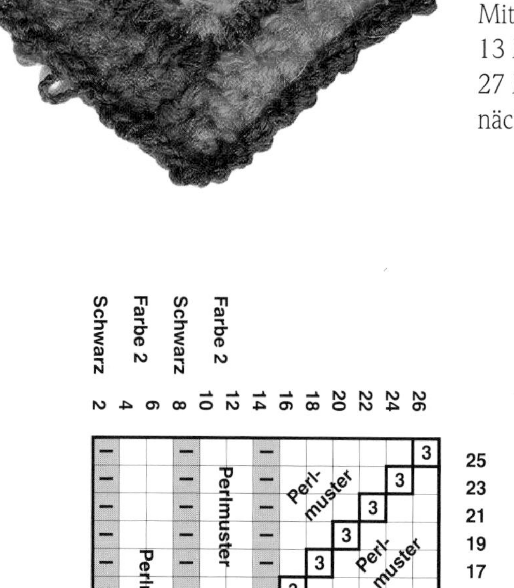

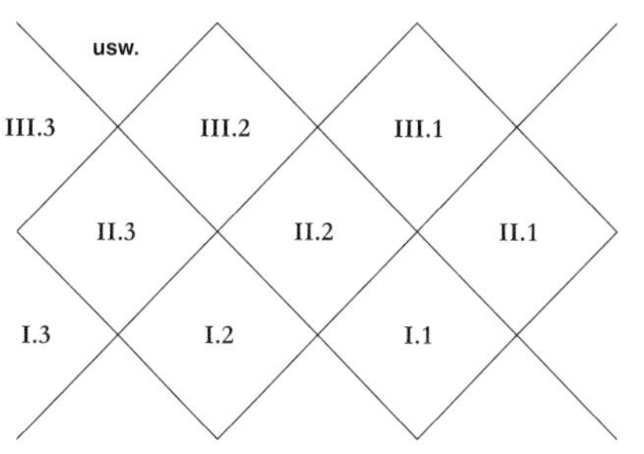


Die Reihenfolge der einzelnen Quadrate ergibt sich aus der Abbildung: Auf I.1 folgt II.1; danach III.1. Anschließend geht's weiter mit I.2.

Wird zum Auffüllen – zum Beispiel am oberen oder unteren Rand der Arbeit – nur ein halber Topflappen benötigt, dann braucht auch nur ein halber gestrickt zu werden: Stricken Sie dann nur jeweils zwei Maschen zusammen. Ein anderes Dreieck entsteht, wenn Sie auf der Vorderseite rechts und links je eine Masche abketten. Die Abnahme auf der Rückseite ändert sich nicht.

# Flausch im Quadrat

Die attraktive Damenjacke ist aus weichem Kid-Mohair gearbeitet. Die Arbeitsweise entspricht dabei der blauroten Variante auf Seite 28. Besonders schick wirken hier die vielen Farbnuancen in frischen Pastelltönen.

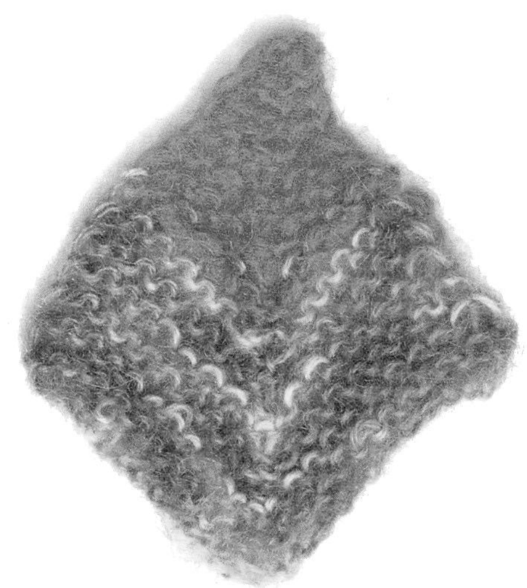

# Quadrat-Weste

Blaugrün und bunt kommt diese Herren-Weste daher: Denn natürlich lassen sich die einzelnen Quadrate auch zu Streifen verbinden. Die sportliche Weste paßt gut zu einfarbigen Hemden. Das schicke Stück ist aber nicht nur in der Freizeit ein Blickfang.

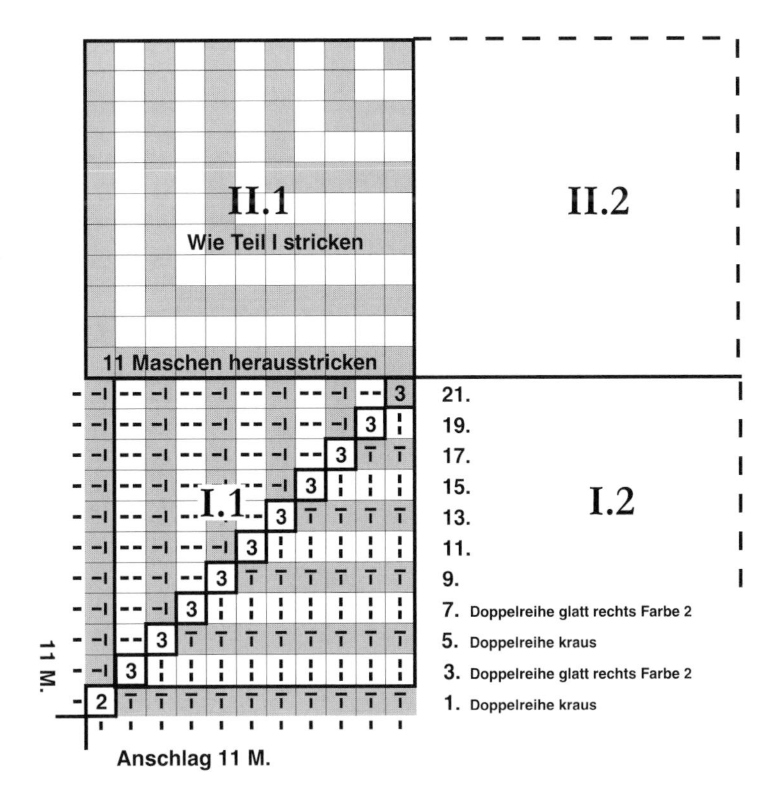

# Blick-Winkel

**Anstatt eines ganzes Quadrates ergeben auch L-förmige Stufen ein attraktives Muster.**

Schlagen Sie dafür 37 Maschen wie für ein Quadrat (Kantenlänge 18 Maschen) an. Zusätzlich werden 9 Maschen für die Längsseite des L angeschlagen. Die Arbeit beginnt wie ein Topflappen – nur mit ungleich langen Seiten. Die Abnahme auf der Rückreihe erfolgt also nicht in der Mitte, sondern erst nach 27 Maschen. Wenn noch 10 Maschen plus 20 Maschen auf der Nadel sind, ketten Sie bis zur Abnahmestelle auf der Rückreihe ab. Die restlichen 10 Maschen stricken Sie nach der bekannten Methode mit der Längskante des L zusammen, damit ein kleineres Quadrat entsteht. Abgekettet wird dann wieder auf der Rückseite. Das mittlere Quadrat ist hier in dünnem Kid-Mohair-Garn kraus rechts gestrickt.

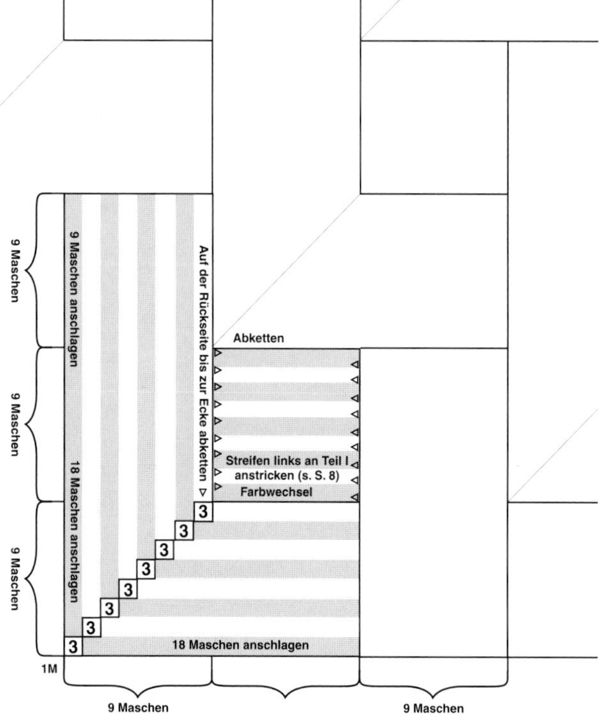


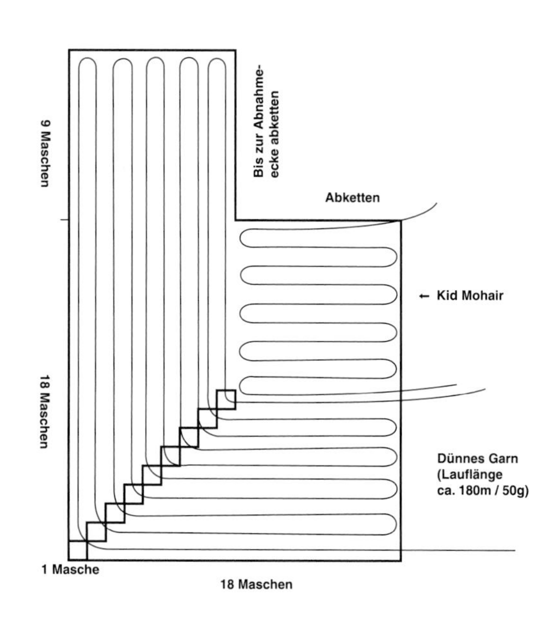

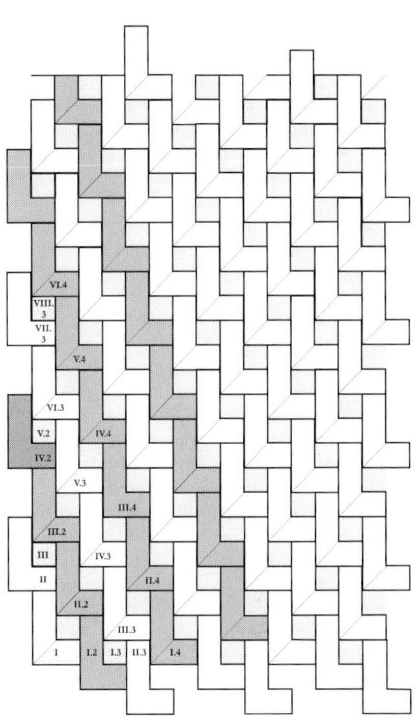


Die Arbeit beginnt mit Teil I, an das nacheinander die Teile II und III etc. angestrickt werden. Darauf folgen die Teile I.2, II.2, III.2 etc. Die folgenden Winkel-Stücke stricken Sie in der abgebildeten Reihenfolge daran.

*Zwei ganz unterschiedliche Jacken – und doch sind beide nach der Topflappen-Methode gestrickt. Die Herrenjacke ist auf Seite 56 ausführlich beschrieben.*

# Kunterbunte Strickjacke

Eine halbe Sache ist diese Jacke mit Sicherheit nicht, auch wenn die Topflappen – jeweils zwei nebeneinander –

wirken wie halbe Quadrate: Dieser Eindruck der einander überlappenden Quadrate ergibt sich aus dem dunkleren Kontrastgarn, das die Unterkante säumt, an der Oberkante aber einfach weggelassen wurde. So erscheinen die Teile nach oben hin offen. Die Abnahmereihen ergeben zudem ein schmuckes Karo-Gitter. Stricken Sie für diese Jacke immer zwei Topflappen zugleich: Das spart Zeit und Arbeit!

# Patchwork in Farbe

Leuchtende Töne in kräftigen Farben sind charakteristisch für diese Jacke. Das Muster besteht aus zwei zusammengestrickten Topflappen-Quadraten und Vierecken im Gitter-Look. Anders als die Modelle vorher wird die Jacke allerdings von oben nach unten gearbeitet: Sie beginnen an den Schultern und stricken von dort hinunter zum Bündchen.

# T wie Topflappen

**Der Buchstabe T war Vorbild für diese Strick-Idee: Mit einem kleinen Zwischenstück können die Quadrate nun versetzt gestrickt werden.**

Ausgangsbasis für diesen Pullunder sind wieder zwei zugleich gestrickte Topflappen-Quadrate. Um nun daraus ein T zu machen, brauchen Sie nur in der Mitte die letzten sieben Maschen der beiden Topflappen über neun Doppelreihen gerade weiterzustricken. In unserem Modell wurden die einzelnen Stücke von der Schulter her gestrickt, also von oben nach unten. Die Hebemaschen im Muster sorgen für das ansprechende Farb-Gitter. Denken Sie daran, bei einem Muster mit Hebemaschen zwischen den beiden Topflappen eine zusätzliche Masche anzuschlagen.

# Eine runde Sache

Der taillenkurze Pulli ist durchgehend aus „runden“ Topflappen gestrickt. Stricken Sie dafür immer zwei Topflappen zugleich. Damit die Teile auch rund werden, sind die Abnahmen diesmal willkürlich verteilt: Stricken Sie die Maschen also nicht immer in der Mitte der Arbeit zusammen. Wichtig ist nur, daß jeweils in der Rückreihe abgenommen wird.

# Quadrate – drunter und drüber

Dieses attraktive Stück aus hell-meliertem und farbigem Garn ist leichter zu stricken, als es auf den ersten Blick scheint. Anstatt immer nur ein Topflappen-Quadrat auf einmal, fertigen Sie hier gleich drei. Das spart Zeit und ist gar nicht so kompliziert. Aus dem fertigen großen Dreiviertel-Quadrat stricken Sie dann die Maschen für das nächste Stück heraus und schlagen die zusätzlich benötigten Maschen neu an.

Einzelne Topflappen füllen den Pullover auf. In unserem Modell sind die grau-melierten Reihen kraus, die Farb-Reihen jeweils glatt rechts gestrickt.

*Hier werden gleich drei Topflappen auf einmal gestrickt. Die Struktur ergibt sich durch den Wechsel zwischen kraus gestrickten Reihen in meliertem und glatt gestrickten Reihen in einfarbigem Garn.*

# Farbe hinter Gittern

Mit Hebemaschen bekommen die Topflappen-Quadrate ein ganz neues Aussehen: Wie hinter einem Gitter lugt nun zwischendurch ein Farbstreifen heraus. Wie bei den vorigen Modellen werden auch hier wieder drei Quadrate auf einmal gestrickt. Die Anordnung der Teile ist ebenfalls gleich. Statt rechts oder links stricken Sie hier aber mit Hebemaschen: Also in jeder zweiten Doppelreihe eine rechte Masche arbeiten und eine Masche abheben.

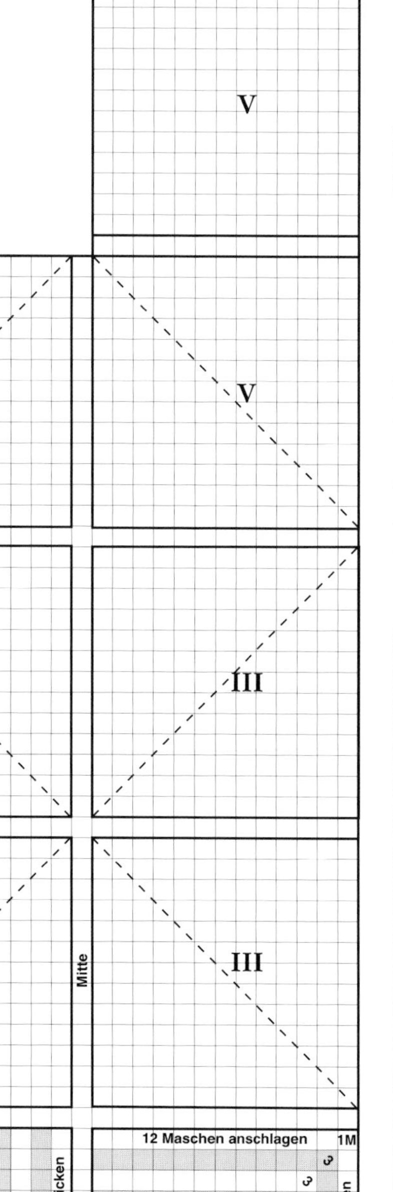


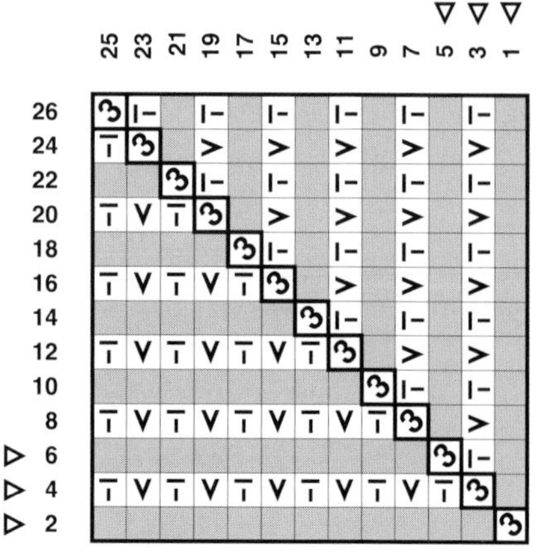


Drei Topflappen zugleich, wie sie für diesen Pullunder gearbeitet werden, sind auch mit Hebemaschen kein Problem. Zwischen den Mustersätzen der einzelnen Quadrate muß nur eine Masche zusätzlich angeschlagen werden. Zwischen zwei Topflappen haben Sie also immer eine Masche mehr.

# Strick in Schwarz und Grau

Eine Vielfalt an verschiedenen Mustern und Materialien macht diese Jacke zum schicken Einzelstück. Die Arbeitsweise ist hier genau gleich wie beim Pullover auf Seite 40. Statt der einheitlichen Reihen sind hier allerdings viele Strickarten im Spiel: Glatte und krause Reihen wechseln sich mit Perlmuster ab. Außerdem setzen einzelne Partien aus Mohair-Garn effektvolle Akzente.

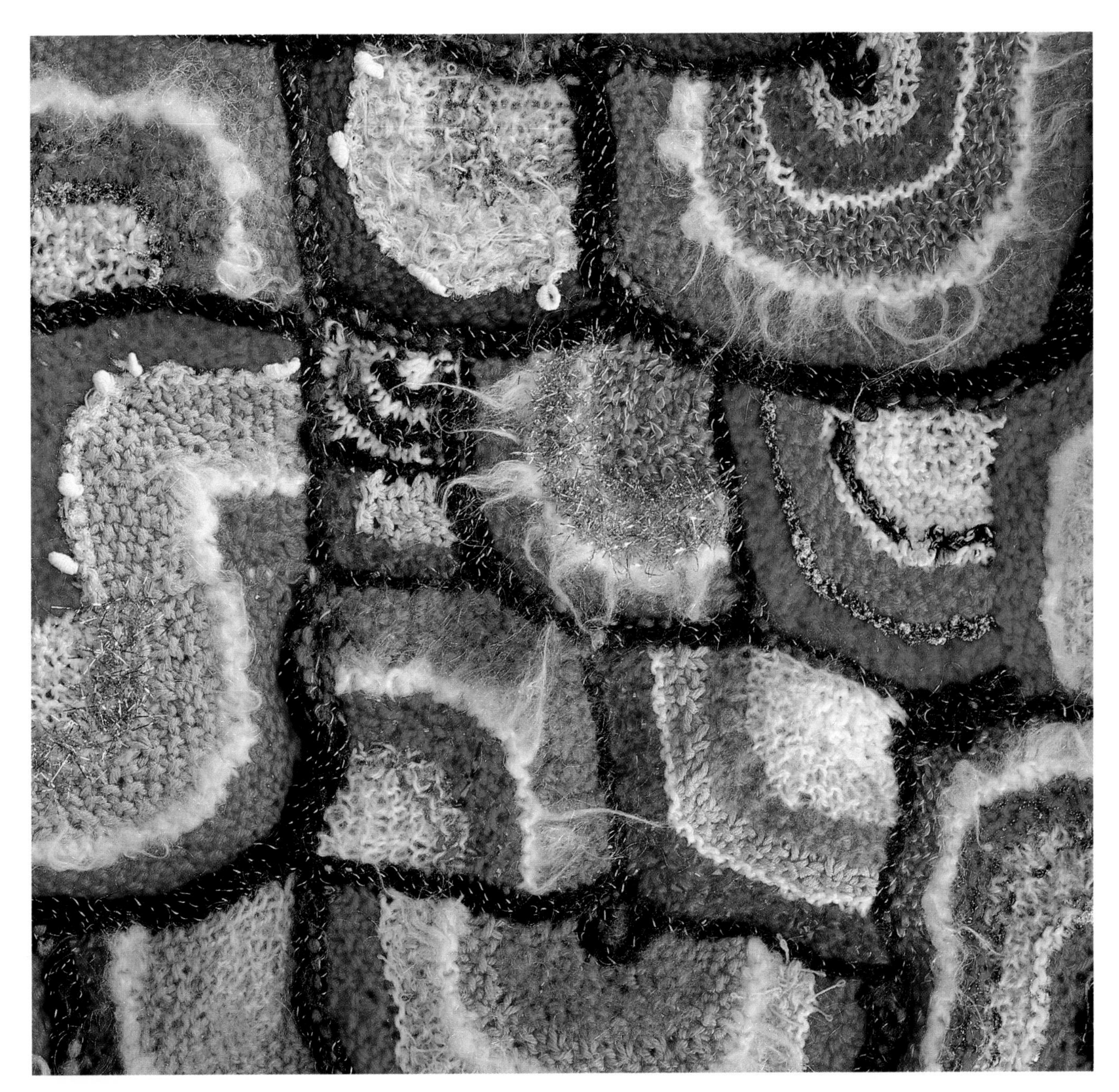

# Phantasie in Rosa

Runde Topflappen und verschiedene Materialien sind das Markenzeichen dieser Arbeit. Stricken Sie die Einzelteile mit Garnen aus langhaarigem Mohair, glänzendem Effektgarn und Wollgemischen. Auch die Zusammenstellung ist hier ganz Ihnen überlassen:

Mischen Sie einfach Kreise aus einem, zwei oder drei Topflappen. Die dunklen Reihen, mit denen jeder Topflappen-Kreis begonnen wurde, schaffen ansprechende Kontraste. Die Kreise kommen zustande, wenn Sie die Abnahmen an verschiedenen Stellen der Rückreihe vornehmen, also nicht stets in der Mitte der Reihe die Maschen zusammenstricken.

# Schick im Zick-Zack

Die Jacke in kräftigen Farben spielt auf originelle Art mit der Form der Quadrate: Die einzelnen, auf die Spitze gestellten Teile werden diesmal an der Unterkante nicht durch Dreiecke ergänzt. So entsteht eine gezackte Kante, die nicht nur durch die tollen Farben für Aufsehen sorgt. Witzige Quasten sind ein zusätzlicher Blickfang. Die Kurz-Jacke wird oben angefangen, in langen Topflappen-Streifen gearbeitet und unten durch Topflappen ergänzt, die in der Mitte mit zwei Stricknadeln zusammengestrickt (oder -genäht) sind.

# Barocke Maschen

Blau, Grün und Gold sind die Farben dieses stilvollen Pullovers. Zusätzliche Akzente setzen leuchtende Glassteine. Die goldenen Streifen, die für einen glänzenden Eindruck sorgen, ziehen sich durch mehrere Topflappen hindurch. Auch hier wurden die einzelnen Teile rund gearbeitet, um den ornamentalen Charakter des Strickmusters zu verstärken.

# Kreise, Kreise, Kreise

**Runde Stücke und dunkle Verbindungszeile ergeben ein ansprechendes Muster. Schwarz ist hier die Grundfarbe. Die Hebemaschen sind in roten und violetten Tönen gearbeitet.**

Diese Arbeit beginnt zunächst mit den schwarzen Zwischenstücken. Ausnahmsweise werden diese Quadrate zuerst gestrickt: Dazu schlagen Sie neun Maschen an und stricken anschließend über neun Doppelreihen immer abwechselnd kraus und Hebemaschen. Zum Schluß auf der Rückseite abketten.

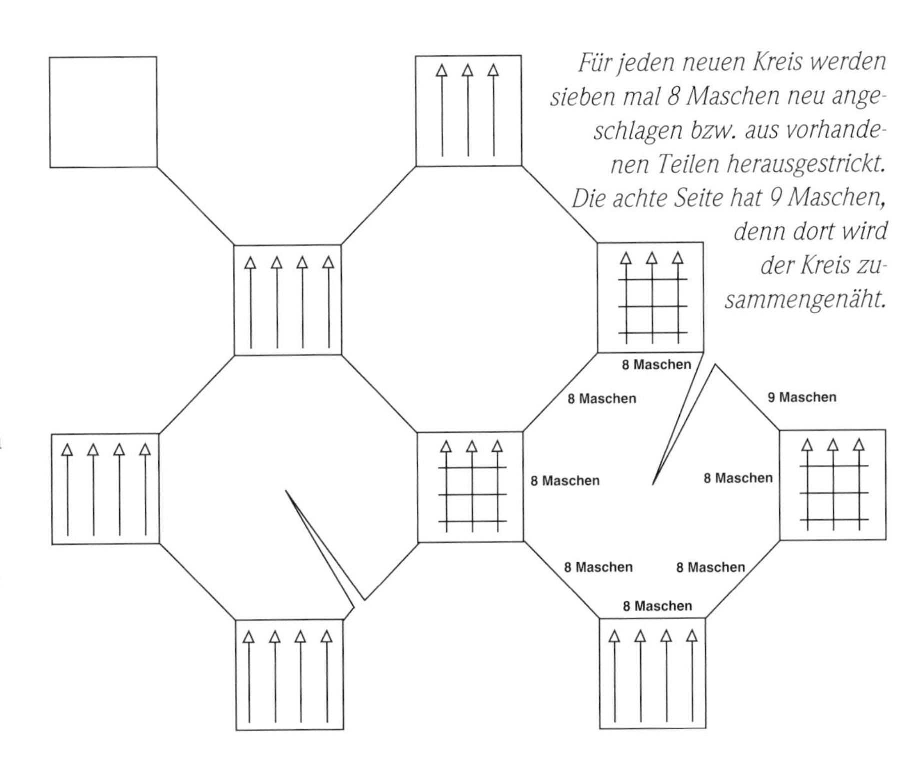


*Für jeden neuen Kreis werden sieben mal 8 Maschen neu angeschlagen bzw. aus vorhandenen Teilen herausgestrickt. Die achte Seite hat 9 Maschen, denn dort wird der Kreis zusammengenäht.*

Für einen gestrickten Kreis brauchen Sie dann 65 Maschen. Dafür schlagen Sie mit farbigem Garn jeweils 8 Maschen an und stricken 8 Maschen aus dem vorhandenen Quadrat heraus (8 × 8 + 1 Masche; siehe Grafik). Die nächsten beiden Doppelreihen werden im Perlmuster gestrickt. In der dritten Doppelreihe kommt dann das schwarze Garn, mit dem in Hebemaschen gestrickt wird (1 Masche rechts, 1 Masche abheben). Anschließend wieder eine Doppelreihe farbig im Perlmuster arbeiten und in der Rückreihe je zwei Maschen zusammenstricken. Setzen Sie dieses Prinzip fort bis zur dritten Doppelreihe in Hebemaschen. Danach wird noch eine Doppelreihe im Perlmuster gestrickt, dann abgekettet. Den noch offenen Kreis nähen Sie sauber Rippe auf Rippe zusammen.

Die einzelnen Kreise und Würfel können Sie entweder zusammennähen oder gleich während des Strickens aneinanderfügen.

Die „Ziegel“ aneinanderfügen wie bei einer Mauer.

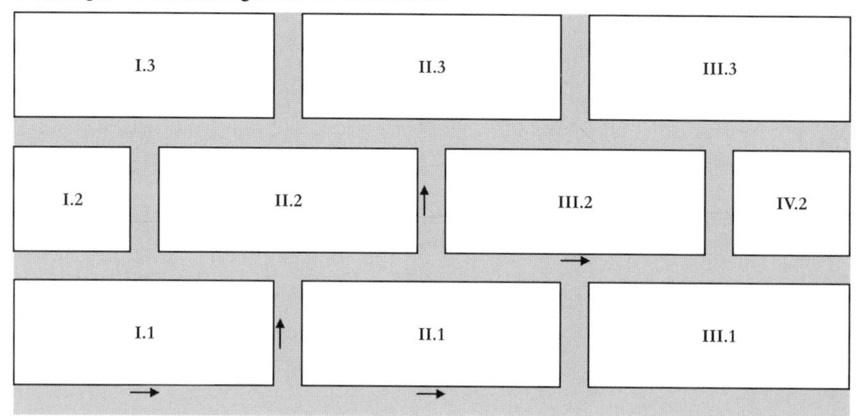


# Ziegelmuster

**Diese außergewöhnliche Jacke hat ihr Muster bei einer Ziegelmauer abgeschaut. Stück für Stück wird die Arbeit aus 19 verschiedenen Rottönen gearbeitet. Helles, meliertes Garn hält als „Mörtel“ die einzelnen Teile zusammen.**

Beginnen Sie die Arbeit wie bei einem Topflappen-Quadrat mit ungleichen Schenkeln: In der hellen „Mörtelfarbe“ werden 18 plus 7 Maschen angeschlagen. Stricken Sie zwei Reihen glatt rechts mit diesem Garn und arbeiten Sie in der Ecke eine Abnahme. Anschließend wird in einem rötlichen Ton mit den 17 Maschen der längeren Seite im Perlmuster gestrickt. Ziegel und Mörtel werden dabei nach der Rundnadel-Methode zusammengestrickt. Nach insgesamt 14 Reihen das Rechteck auf der Rückseite rechts abketten, damit die Maschen links auf der Vorderseite erscheinen.

Die Ziegelreihen werden ganz einfach versetzt gearbeitet wie bei einer richtigen Mauer.

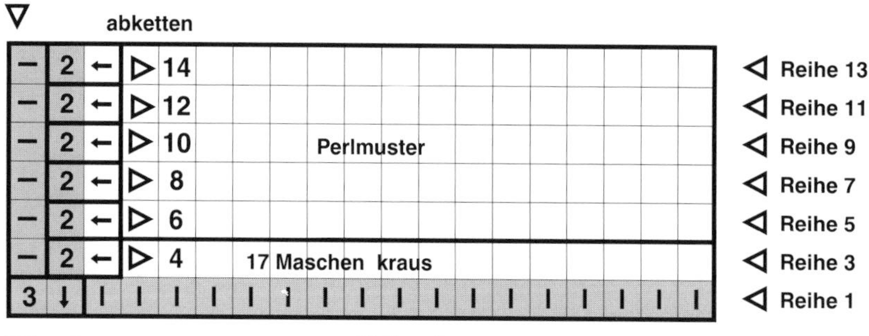

# Kreise im Netz

Hier können Sie Ihrer Phantasie freien Lauf lassen: Die Jacke aus runden Topflappen und kleinen Quadraten läßt viel Spielraum für Kreativität. Für die Kreise werden wieder drei Topflappen auf einmal gearbeitet. Die Abnahmen sind innerhalb des Perlmusters willkürlich verteilt, damit Kreise anstatt der Quadrate entstehen. Die Netzstruktur der kleinen, vorher gearbeiteten Quadrate ergibt sich aus den Hebemaschen: Nach jeder farbigen Doppelreihe wird eine Doppelreihe in Hebemaschen gearbeitet. Als „Hintergrund" bietet sich weißes Garn an.

# Farbtupfer auf Jeansblau

**Im Treppenmuster sind die Farben bei diesem bequemen Pullover mit Knopfleiste angeordnet. Zwischen den verschiedenen Blautönen der einzelnen Quadrate sind außerdem Reihen in andersfarbigem Garn eingearbeitet.**

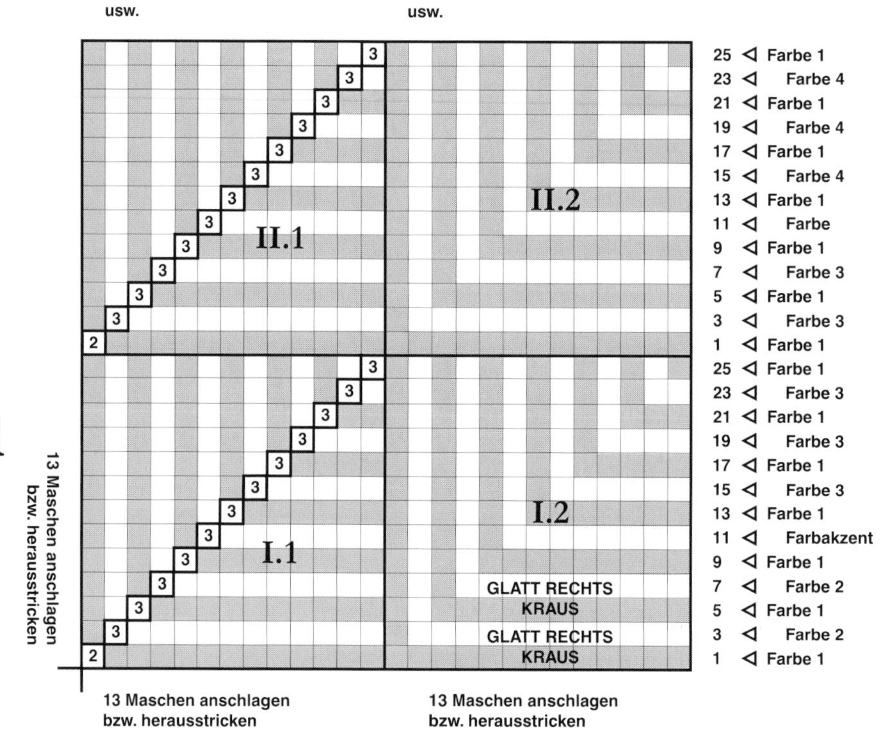

Das ansprechende Muster dieses Pullovers entsteht durch geschickten Farbwechsel: Beginnen Sie einfach den nächsten Topflappen mit dem Blauton und dem Farbton, mit dem Sie den vorangegangenen Topflappen beendet haben. Für jedes einzelne Quadrat werden hier 27 Maschen angeschlagen. Die Abnahme erfolgt wie gewohnt in der Mitte der Rückreihe. In Blau werden immer abwechselnd glatte und krause Reihen gestrickt. Als 11. Doppelreihe kommt dann ein Farbakzent in Rot, Gelb oder Grün.

Damit sich das Muster in der Mitte spiegelt, wurde hier von zwei Seiten gearbeitet: Legen Sie also die erste Hälfte des Vorderteils links an Ihrem Papierschnitt an. Das zweite Stück entsteht dann von rechts her. Zwischenstreifen in den Farben der Bündchen verbinden die gemusterten Pulloverteile: In unserem Modell sind dafür jeweils vier Reihen links in meliertem Garn gestrickt. Anschließend wurden drei Doppelreihen zweifarbig mit Hebemaschen gearbeitet. Zum Schluß wieder links in meliertem Garn.

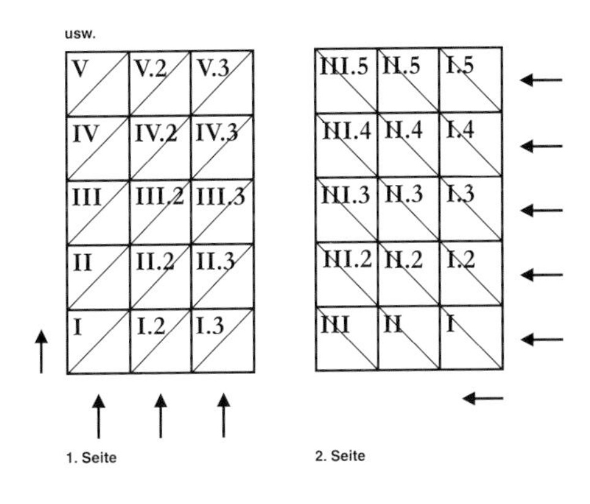


Diese optischen Trennstreifen sind im Vorder- und Rückenteil, seitlich und an den Ärmeln angestrickt.

# Zöpfe kreuz und quer

**Ob Sie dieses Modell in dezenten Brauntönen oder lieber in kräftigen Farben stricken: Das besondere Zopfmuster macht aus dem Pullover auf jeden Fall ein Schmuckstück, das nicht jeder hat.**

*Jeweils zwei Zöpfe liegen bei diesem Muster nebeneinander. Das nächste Stück wird waagerecht angesetzt.*

Für die Zopf-Stücke schlagen Sie 22 Maschen an. Die dunklere Farbe in der ersten Reihe schafft Kontraste. Anschließend arbeiten Sie zwei Zöpfe nebeneinander, wie in der Anleitung abgebildet. Pro Mustersatz wurden hier 22 Doppel-Reihen gestrickt: Schließen Sie das Stück jeweils wieder mit einer Reihe in dunklerem Garn.

Für das nächste Zopf-Teil schlagen Sie an der linken Oberkante des ersten 22 neue Maschen an. Das zweite Teil wird folgendermaßen auf der Rückseite mit dem ersten zusammengestrickt: Die letzte Masche rechts abheben, eine Randmasche von der Nadel stricken und die abgehobene Masche darüberziehen. Man kann aber auch die letzte Randmasche und die Masche von der Nadel rechts verschränkt zusammenstricken. Das geht schneller, und das Ergebnis ist dasselbe.

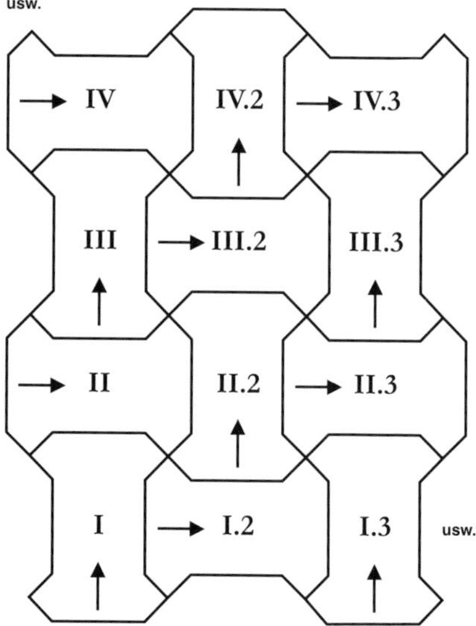


*Die einzelnen Teile werden gestrickt, wie das Schema links zeigt, und in der oben angegebenen Reihenfolge aneinandergefügt: Auf Teil I folgen die Teile II, III und IV, darauf dann die Teile I.2, II.2, III.2 und IV.2.*

Abketten

Verzopfen

Verzopfen nach eigener Wahl

21 ◁ Farbe 1

3 ◁ Farbe 2

1 ◁ Farbe 1

22 Maschen anschlagen bzw. herausstricken

# Würfel-Effekte

**Für die Modelle auf diesen Seiten stand ein beliebtes Patchwork-Muster Pate: die „Tumbling Blocks". Die Farben sind so verteilt, daß die gestrickten Würfel dreidimensional wirken. Das Block-Muster macht sich in edlem Material und dezenten gelben und braunen Tönen genauso gut wie auf der sportlicheren Weste in Rot und Blau (Seite 58).**

Der Würfel für dieses Muster wird genaugenommen aus zwei Teilen gestrickt: aus Vorderseiten und „Deckel". Schlagen Sie für die beiden Vorderseiten 23 Maschen an. In der Hinreihe werden nun jeweils zwei Maschen zugenommen. Die Abnahme erfolgt dann in der Rückreihe. Das Prinzip ist hier das gleiche wie bei den Topflappen-Quadraten – nur werden die abgenommenen Maschen an den Rändern wieder zugenommen. Durch diese Technik bleibt die Maschenzahl unverändert, und es entsteht eine Art V.

Für das obere Quadrat des Würfels wird anschließend mit den Maschen

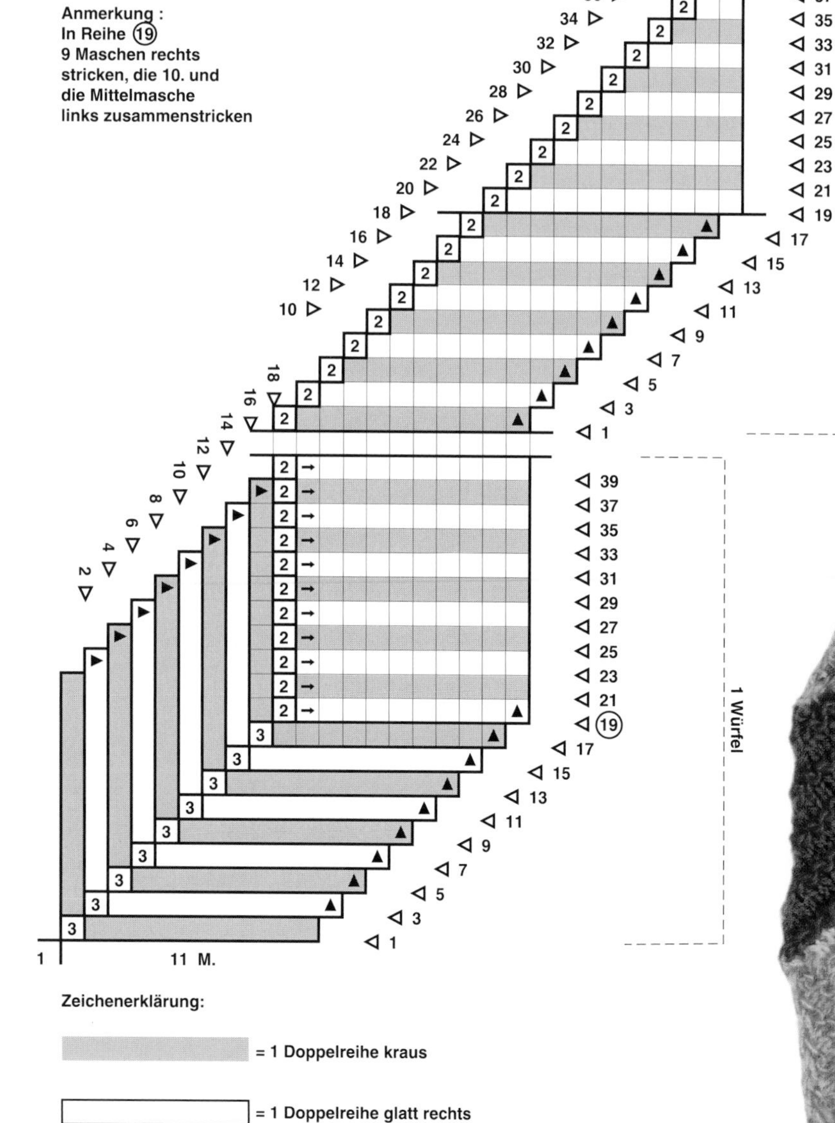


*Durch die Verteilung der hellen und dunklen Töne erscheinen die Würfel dreidimensional. Beim fertig gestrickten Teil wird die im Schema (links) schräg verlaufende Oberkante zur linken Seite.*

aus der rechten Hälfte des Stückes weitergearbeitet. Stricken sie hier einfach gerade, ohne Zu- oder Abnahmen. An der linken Kante wird das Quadrat mit dem fertigen Teil links zusammengestrickt.

Die Reihenfolge der einzelnen Teile orientiert sich hier ganz am Patchwork: Der erste Block liegt auf dem Papierschnitt unten links, das zweite Stück kommt an die linke Kante darüber. Dann beginnen Sie wieder unten, rechts neben dem ersten Block und setzen die weiteren Teile diagonal nach links oben laufend an. Um einen geraden Seitenrand zu erhalten, werden manche Blöcke übrigens nur zur Hälfte gestrickt.

Innerhalb eines Würfels sind die Farben so verteilt, daß die hellste oben und die dunkelste an der rechten Seite ist. So ergibt sich der plastische Effekt der fertigen Strickarbeit. Beim Verkreuzen innerhalb einer Reihe die erste Farbe einschließlich der Mittelmasche stricken. Das Muster ist für alle drei Seiten des Würfels gleich: eine Doppelreihe glatt, eine kraus. Der Farbwechsel nach jeder Doppelreihe schafft zusätzlich reizvolle Effekte.

# Blöcke in Türkis

**Diese Weste paßt zu vielen Gelegenheiten: Mit dem raffinierten Würfelmuster und dem türkisfarbenen Gitter ist sie ein Farbtupfer für Ihr Outfit.**

Die Blöcke dieses Modells entsprechen denen von Jacke und Weste auf Seite 56 bis 58. Anstatt glatter und krauser Reihen wird bei diesen Würfeln aber mit Hebemaschen gestrickt. Aus buntem Wollgarn stricken Sie also nur jede zweite Masche und heben die Maschen des türkisfarbenen Baumwollgarns über die Reihe. So entsteht das Gitter, das in der ganzen Weste mit der gleichen Farbe gearbeitet ist.

# Muschel-jacke

**Das Patchwork-Prinzip funktioniert natürlich auch mit anderen Figuren als dem Quadrat: Die gestrickte Muschel sieht zwar auf den ersten Blick etwas kompliziert aus, ist aber gar nicht so schwer zu strik-ken, wie es scheint.**

Die einzelnen Muscheln werden je-weils am breiten Ende begonnen. Des-halb ist auch diese Jacke von den Schultern her gearbeitet. Für die erste Muschel schlagen Sie 33 Maschen an und stricken eine Doppelreihe kraus rechts. Auch die zweite Reihe wird

*Nach diesem Prinzip entstehen die spitz zulaufenden Muscheln für die Jacke auf Seite 61.*

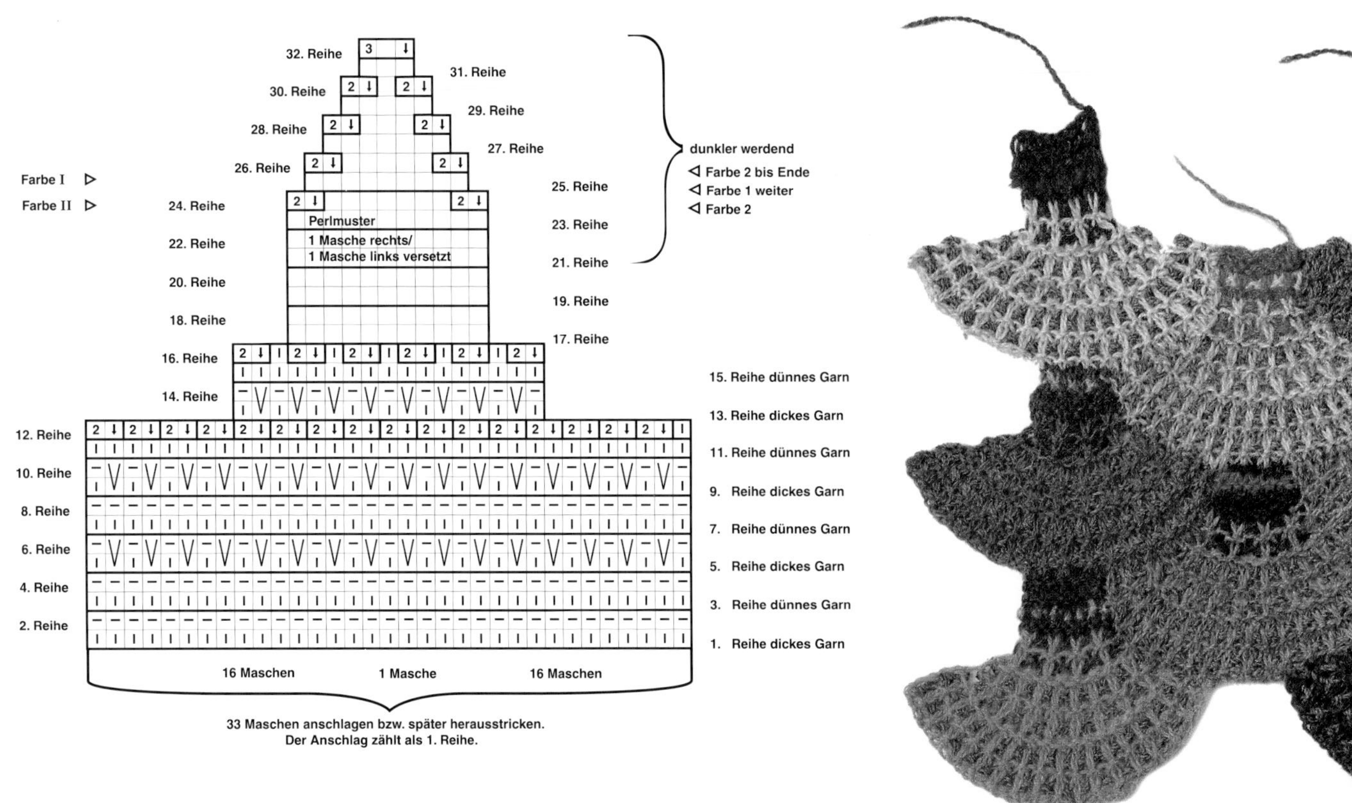

*Wenn der Mittelteil der Muscheln ohne Abnahmen bis zur 32. Reihe gestrickt und die Maschen dort abgekettet werden, entstehen Muscheln mit flachem Ende (siehe Abbildungen links oben, unten und rechts unten).*

kraus rechts gestrickt, allerdings in einer anderen Farbe und in dünnerem Garn. In der dritten Doppelreihe stricken Sie mit Hebemaschen: eine Masche rechts, eine abheben. So wird fünf Doppelreihen lang abgewechselt. Auf der Rückreihe der sechsten stricken Sie dann jeweils zwei Maschen rechts zusammen. Nach einer weiteren Doppelreihe in Hebemaschen stricken Sie auf der Rückreihe zwei Maschen zusammen, eine rechts verschränkt, so daß noch 17 Maschen auf der Nadel bleiben. In dünnem Garn werden dann noch drei Doppelreihen gestrickt, und in den folgenden vier Rückreihen wird außen jeweils eine Masche abgenommen (zwei pro Reihe). Die letzten drei Maschen zusammenstricken.

Besonders schön werden die Muscheln übrigens, wenn Sie zur Spitze hin dunkleres Garn verwenden.

*Die Strickarbeit für die Muscheljacke beginnt an den Schultern. Durch geschickte Farbverteilung entstehen reizvolle Effekte.*

## Bezugsquellen

Grundsätzlich eignen sich alle Strickgarne für die von Horst Schulz entwickelte Technik. Die im Buch gezeigten Modelle wurden zum größten Teil mit Garnen der Firmen *Online, Rowan* und *Zürcher & Co.* angefertigt. *Online* und *Zürcher & Co.* informieren Sie gern über Fachgeschäfte in Ihrer Nähe, bei denen Sie die gewünschten Garne erhalten. Die britischen *Rowan*-Garne vertreibt die Firma *Wolle und Design* exklusiv für Deutschland.

*Online*
Klaus Koch GmbH & Co. KG
Rheinstraße
35260 Stadtallendorf

*Zürcher & Co.*
Handwebgarne
Lyssach
Postfach
CH-3422 Kirchberg
Schweiz

*Rowan*
Vertrieb für Deutschland:
Wolle und Design
Rosemarie Kaufmann
Wolfshovener Straße 76
52428 Jülich-Setternich

Komplette Wollpakete für Schulz-Modelle erhalten Sie bei folgender Adresse:

*Woll-Boutique*
Franz Schlosser
Albert-Schweitzer-Straße 1
38226 Salzgitter


## Danksagung

Dieses Buch soll nicht beendet sein, bevor ich nicht denjenigen „Danke" gesagt habe, die zu seinem Entstehen beigetragen haben. Da sind zuerst Henk und Henriette Beukers, die das Neue meiner Arbeit als erste erkannt und in der Zeitschrift „Ornamente" wiederholt veröffentlicht haben. Franz Schlosser vermittelte mir über die Firma *Online* Einladungen auf Messen und stellte mich so der Fachwelt vor. Dank geht auch an meine Schülerinnen und Schüler, die meine Idee des neuen oder „anderen" Strickens in ihren Arbeiten erfolgreich anwenden. Selbst in Rußland haben einige Strickerinnen meine brieflichen Erklärungen (in einer ihnen fremden Sprache) in schöne Arbeiten umgesetzt. Stellvertretend für alle seien hier diejenigen namentlich erwähnt, deren Arbeiten im Buch veröffentlicht sind: Christa Bucher, Karola Mahlkow, Helga Müller, Wilhelma Naujok, Phylis Nixon und Anette Raschke. Dank auch allen ehemaligen Schülerinnen und Schülern, die über Workshops in eigener Regie mein „anderes Stricken" vermitteln und verbreiten!
Ganz besonders danke ich meinem Freund Norman Fisher, der mit unendlicher Geduld aus oft unleserlichen und unzusammenhängenden Texten das Manuskript erstellte, und Sylvia Hank, die es dann für den Druck bearbeitete. An den Augustus Verlag geht Dank für die Veröffentlichung dieses Buches.
Ich wünsche mir sehr, daß all dies dazu beitragen möge, ein heutzutage etwas vernachlässigtes, schönes Hobby neu zu beleben. Das könnte auch die Kreativität in vielen Menschen wieder wach rufen.
Es ist so viel in uns – wir müssen es nur tun!

Horst Schulz



Die Deutsche Bibliothek – CIP-Einheitsaufnahme
**Das neue Stricken Pullover, Jacken, Westen:**
Patchworktechnik; farbige Muster leicht gestrickt/
Horst Schulz. [Fotogr.: Annette Hempfling und
Klaus Lipa].
– Augsburg: Augustus-Verl., 1995
ISBN 3-8043-0364-1
NE: Schulz, Horst; Hempfling, Annette




Fotografie: Annette Hempfling, München
Das Foto auf Seite 5 unten stammt von Henk Beukers, NL-Hurwenen
Grafiken: Gruber & König, Augsburg
Lektorat: Sylvia Hank, Augsburg
Umschlaggestaltung: Christa Manner, München
Layout: Walter Werbegrafik, Gundelfingen

Augustus Verlag Augsburg 1995



Satz: Gesetzt aus 10 Punkt Weidemann Book in Quark-X-Press von Walter Werbegrafik, Gundelfingen
Reproduktion: Repro Ludwig, A-Zell am See
Druck und Bindung: Appl, Wemding

Gedruckt auf 120 g umweltfreundlich elementar chlorfrei gebleichtes Papier.

ISBN 3-8043-0364-1

Printed in Germany